PIGION 2000

GEIRIAU'N CHWERTHIN
Casgliad o ryddiaith ysgafn

GW00500257

Blas ar y sgrifennu gorau yn y Gymraeg

Golygydd y gyfres: Tegwyn Jones
Cyhoeddwyr: Gwasg Carreg Gwalch
Pris: £1.99 yr un

Geiriau'n Chwerthin

Casgliad o ryddiaith ysgafn

Golygydd y gyfres:
Tegwyn Jones

Argraffiad cyntaf: Gŵyl Ddewi 2000

ⓟ Pigion 2000: Gwasg Carreg Gwalch
ⓟ testun: yr awduron/y gweisg gwreiddiol

Rhif Llyfr Safonol Rhyngwladol:
0-86381-519-7

Cyhoeddir o dan gynllun comisiwn Cyngor Llyfrau Cymru.
Cynllun y clawr: Adran Ddylunio'r Cyngor Llyfrau.

Argraffwyd a chyhoeddwyd gan Wasg Carreg Gwalch,
12 Iard yr Orsaf, Llanrwst, Dyffryn Conwy.
Ffôn: 01492 642031
Ffacs: 01492 641502
e-bost: llyfrau@carreg-gwalch.co.uk
lle ar y we: www.carreg-gwalch.co.uk

Dymunir diolch i'r gweisg am eu cyd-weithrediad wrth gynhyrchu'r gyfrol hon ac am eu caniatâd caredig i gynnwys deunydd a gyhoeddwyd yn gyntaf ganddynt hwy.

Cynnwys

Cyflwyniad

Y mae gennym erbyn hyn fwy nag un casgliad
Cymraeg o farddoniaeth ysgafn – cyfrolau megis
Yr Awen Ysgafn (Urien Wiliam), *Yr Awen Lawen*
(Elwyn Edwards) a'r *Flodeugerdd o Englynion Ysgafn*
(Huw Ceiriog), ond ysywaeth ni chafodd
rhyddiaith ysgafn yr un sylw. Cais i gau ychydig ar
y bwlch hwnnw yw'r casgliad sy'n dilyn. Nid oes
brinder deunydd. Yn wir, yr anhawster mawr a
wynebai'r golygydd wrth weithio ar y casgliad
oedd penderfynu beth y dylid ei osod o'r naill ochr,
ac ofnaf fod arnaf ymddiheuriad llaes i nifer o
awduron y mae ganddynt berffaith hawl i
ddisgwyl gweld eu gwaith mewn cyfrol fel hon,
ond a oedd, oherwydd diffyg gofod (a mympwy a
chwaeth golygyddol, wrth gwrs) ychydig yn rhy
bell yn ôl yn y ciw y tro yma. Diau y byddai
golygydd arall wedi eu gosod mewn safle mwy
ffafriol o lawer.

Mae dethol casgliad o ryddiaith ysgafn yn anos
tasg na dethol casgliad tebyg o gerddi, a dyna un
rheswm efallai nad oes gennym eisoes ddewis o
ddetholiadau o'r fath ar ein silffoedd. Anaml iawn
y bydd angen hepgor darn o gerdd wrth ei
chynnwys mewn casgliad, ond y gwrthwyneb sy'n
wir yn achos rhyddiaith. Dro ar ôl tro, er mwyn
ceisio cynnwys cymaint ag y gellid o eitemau o
fewn gofod pur gyfyng, ac ar yr un pryd gadw

rhyw fath o gydbwysedd, cefais fy hun yn gorfod torri deunydd gwirioneddol ddigri o stori neu nofel neu ddarn o hunangofiant ac yn y blaen. Gobeithio na wnaed gormod o gam â gwaith neb fel canlyniad, ond rhaid ymddiheuro ymhellach, y tro hwn i'r awduron hynny a gafodd le yn y gyfrol, am·ddoctora'u gwaith fel y gwneuthum.

Nid yr un math o hiwmor wrth reswm sy'n nodweddu pob rhan o'r wlad, nac sy'n apelio chwaith at bob darllenydd, a chyda hynny mewn golwg anelwyd at gynnwys gwaith awduron o sawl ardal wahanol yng Nghymru. Gobeithio y bydd yma rywbeth at ddant pawb felly, ac y bydd y gyfrol fach hon yn help i ni werthfawrogi, nid yn unig ryddiaith rhai o'n hysgrifenwyr gorau, ond eu hiwmor hefyd, a hiwmor ein gilydd i'r fargen.

Dim Cymaint o Frys â Hynny

Bachgen a ddaeth i alw ar ŵr, a oedd yn toi, i'w ginio, ond wrth ddyfod i'r llawr, llithro a wnaeth, a thorri ffyn yr ysgol a syrthio dibyn-dobyn i'r llawr, a thorri llarpiau mawr ar ei benelin, a gwaedu'n dost. A phan ganfu'r bachgen y gwaed yn pistyllio, y dywedai wrth y towr, 'Ow, fy ewythr, ni buasai raid ichwi hanner y brys hwnnw i ddyfod i'ch cinio – braidd y twymodd y pwdin eto'.

Doctor ar ei Waethaf

Doctor Berthelet a yrrodd Robin ei wasanaethwr (pan yr oeddid yn marchogaeth heibio lle yr oeddid yn colli gŵr) i ofyn pa achos yr oeddid yn crogi'r gŵr. Pan ofynnodd Robin, fe'i hatebwyd mai am ladd gŵr. Yna y gollyngodd ei farch yn gandryll ar ôl ei feistr, a oedd yn ffisigwr. Pan ddaeth agos i oddiwes, ei feistr a ofynnodd paham yr oedd y ffrwst, a pha achos y crogid y gŵr. Nid atebodd Robin iddo'n dalgrwn ond dywedyd, 'Marchogwch! Marchogwch! Am ladd gŵr y crogasant ef. Y nhw a'ch crogant chwi yn sicr, os dônt o hyd i chwi, oblegid chwi a laddasoch gant'.

Yr un Robin oedd yn dyfod gyda'i feistr heibio i eglwys, ac yna y rhedai'n gandryll at ddrws yr eglwys, ac ymaflyd a wnaeth yn nolen y drws a gweiddi o hyd ei ben, 'Sentwari! Sentwari! (o ddameg ei fod yn acsesari i farwolaeth llawer o wŷr drwy ffisigwriaeth ei feistr).

O Lawysgrif Cwrt Mawr 530 (1582)

Gormod o Uwd

Byddai Wil Tatws Oerion, dyn gwirion, yn arfer mynd i ffarm yn ymyl Conwy, lle byddai'n arfer cael rhywbeth i'w fwyta, a hwyrach llety yn llofft y stabal. Daeth Wil at y tŷ rhyw brynhawn haf, ac ebe fe wrth y wraig, 'Modryb Mari, ga'i frechdan?' 'Cei, mi wn,' meddai hithau, 'Dos i'r tŷ, Wil.' Myned i odro yr oedd y wraig. Cyfarfyddodd â Neli'r forwyn ar y buarth, ac ebe hi, 'Dyro dipyn o'r uwd yna i Wil mewn cwpan, ond paid â gadael iddo gael y crochan, neu fe fwyty'r uwd i gyd'. Gwnaeth Neli felly, ond anghofiodd, naill ai o bwrpas, neu o ddiofalwch, ofalu am y crochan, ac aeth allan i rywbeth. Erbyn iddi hi ddyfod i'r tŷ, yr oedd Wil yn chwythu fel porpoise, wedi bwyta'r crochanaid uwd i gyd. Aeth i'r gadlas wair, a gorweddodd i gysgu rhwng y teisi ar wastad ei gefn, a Neli yn ei watsio fo. Pan welodd hi ei fod wedi cysgu'n ddigon trwm, hi a gymerodd mewn soser de hynny o weddill uwd a fedrai hi grafu oddi wrth ochrau'r crochan, ac a'i plastrodd yn ysgafn ar frest

Wil. Yna hi a gymerodd ddyrnaid bach o raean, ac a'i taflodd yn ysgafn esgeulus ar wyneb Wil oddi wrth gil y das. Dechreuodd Wil ymbalfalu â'i ddwylo ar ei frest, clywai yno rywbeth gwlyb, edrychodd ar gledrau ei ddwylo, gwelai hwynt yn uwd i gyd, ac meddai efo'n sobr wrtho ei hun, 'Wel Duw annwyl, dyma mol i wedi torri!'

Morris Williams (Nicander) mewn llythyr at Ebenezer Thomas (Eben Fardd), 26 Mehefin 1860.
Myrddin Fardd (gol): *Adgof uwch Anghof sef Hen Lythyrau*, 238-239.

Esbonio'r Seiat

Fel Eglwyswr, nid oedd gan John Beck, un o gyfeillion Rhys Lewis a Wil Bryan, fawr o amcan am natur seiat y Methodistiaid Calfinaidd, ac felly ceisiodd Wil ei oleuo rhyw ychydig . . .

'Wel i ti,' ebe fe, 'seiat ydi lot o bobl dda yn meddwl 'u bod nhw yn ddrwg, ac yn cyfarfod 'i gilydd bob nos Fawrth i feio ac i redeg 'u hunain i lawr.'
    'Dydw i ddim yn dy ddallt di,' ebe Beck.
    'Wel,' ebe Wil, 'drycha arno fo fel hyn: Rwyt ti yn nabod yr hen Mrs Peters, ac yr wyt yn nabod mam Rhys yma – nid am fod Rhys yma yr ydw i'n

deud – ond y mae pawb yn gwbod 'u bod nhw yn ddwy ddynes dda a duwiol. Wel, mae nhw yn myn'd i'r seiat, ac y mae Abel Hughes yn myn' datyn' nhw, ac yn gofyn be sy ar 'u meddwl nhw. Mae nhwthe yn deud fod nhw yn ddrwg iawn, ac yn euog o wn i ddim faint o bethe, a mi fydd Mrs Peters yn amal yn deud hynny dan grïo. Ar ôl hynny, mi fydd Abel yn deud nad ydyn' nhw ddim mor ddrwg ag y mae nhw'n meddwl, ac yn rhoi cyngor iddyn' nhw, ac yn deud lot o adnode, ac wed'yn yn myn'd at rwfun arall, ac mi fydd hwnnw yn deud yr un peth; ac felly o hyd nes y bydd hi yn hanner awr wedi wyth, ag ono mi fyddwn yn myn'd adre.'

'Does dim byd fel ene yn 'r Eglwys,' ebe Beck; 'fydd gynon ni byth seiat, a chlywes i neb erioed yn rhedeg ei hun i lawr acw.'

'Dyna lle mae'r gwahanieth rhwng yr Eglwys a'r capel,' ebe Wil; 'rydach chi pobol yr Eglwys yn meddwl bod chi yn dda a chithe yn ddrwg, a phobol y capel yn meddwl 'u bod nhw yn ddrwg a nhwthe yn dda.'

'Wyt ti ddim yn meddwl deud wrtha i,' ebe Beck, 'fod pawb sydd yn perthyn i'r seiat yn bobol dda, a phawb sydd yn perthyn i'r Eglwys yn bobol ddrwg?'

'Mae pawb,' ebe Wil, 'sydd yn cymyd 'u cymun yn y capel yn bobol dda, er 'u bod nhw'n meddwl bod nhw'n ddrwg, a phawb sydd yn cymyd 'u

14

cymun yn 'r Eglwys yn meddwl bod nhw'n dda, a dros 'u hanner nhw yn bobol ddrwg. Dyna yr Hen Sowldiwr: mi wyddost o'r gore fod o'n cymyd 'i gymun ar fore Sul i blesio Mr Brown, a nos Sul mi fydd yn y Cross Foxes, yn potio nes y bydd o yn rhy ddall i wel'd y ffordd adre'. Dase fo yn y capel, wel di, mi fase yn cael y *kick out* yn syth. Ond bryd y gweles di neb yn cael 'i dorri allan o'r Eglwys?'

Nid oedd Beck yn un parod i gyfarfod gwrthddadl; ac felly aeth Bryan ymlaen i esbonio pa beth a olygid wrth 'ddwyn o flaen y seiat'.

'Wel i ti,' ebe Wil, 'pan fydd rhwfun sydd yn perthyn i'r seiat wedi gneud drwg, achos dydyn nhwthe ddim yn berffeth wyddost, mi fydd rhwfun arall yn union yn mynd at y blaenoriaid i glepian arno fo; ac yn y seiat ar ôl hynny mi fydd Abel Hughes yn 'i alw fo i gownt. Os rhwfun tlawd fydd o, 'run fath â William y glo, mi fydd Abel yn gneud iddo ddwad ar y fainc o flaen y sêt fawr; ond os bydd o yn ddyn mawr, 'run fath â Mr Richards y *draper*, mi fydd Abel yn myn'd ato fo.'

'Wel, be' fydd Abel yn gneud iddo fo? Fydd o yn 'i gymyd o i'r *jail*?' gofynnai Beck.

'Dim peryg,' ebe Wil; 'mi fydd Abel yn chwilio i'r achos, ac yn gofyn i un neu ddau ddeud gair: ac os bydd o yn edifeiriol, a 'run fath â William y glo yn rhoi y bai ar Satan, ac yn deud na naiff o byth eto, mi fyddan' yn madde iddo fo; ond os bydd o 'run fath â Mr Richards y *draper*, yn gwrthod deud

dim byd, mi fyddan' yn 'i atal oddi wrth y cymun
am dri mis ne chwaneg, ne'n 'i dorri allan o'r seiat.
'Does dim llawer o *harm* yn y peth, wyddost, ond 'i
fod o yn dipyn o foddar; a mi fase yn dda gen' i
gael peidio mynd i'r seiat heno; ond rhaid i mi
fynd, ne mi fydd acw row.'

Er fy mod rai blynyddau yn ieuengach na
Bryan, yr oeddwn yn ystyried y seiat yn rhywbeth
pwysicach o lawer nag y gosodid hi allan ganddo
ef. Yr oedd fy mam wedi fy nysgu i feddwl felly am
dani. Ond o ran hynny, yn ysgafn yr edrychai Wil
Bryan ar bob peth, a hyn fu ei ddinistr. Pa fodd
bynnag, cafodd geiriau olaf Beck gryn argraff
arnaf, yr hwn a ddywedodd fel hyn:-

'*Boys*, mae'n well gen' i drefn yr Eglwys na
threfn y capel. Mi gaiff pawb sydd yn perthyn i'r
Eglwys neud fel mae nhw yn leicio, a neiff neb 'u
galw i gownt. Mae pawb acw yn meindio ei fusnes
ei hun, a felly mae hi ore, yn 'y meddwl i.'

Byddai Bryan yn gyffredin yn selog dros y
capel; ond yr oedd yn amlwg i mi ei fod yn tueddu
i feddwl yr un fath â Beck ar y pen hwn; ac fel
diweddglo dywedodd, –

'Fel hyn y mae hi, John: mae hi yn fwy
cyfforddus yn 'r Eglwys, ond yn fwy saff yn y
capel.'

Daniel Owen: *Hunangofiant Rhys Lewis*, (Yr Ail
Argraffiad) 66-68.

Y Mab Afradlon

Yn y nofel Gŵr Pen y Bryn, *sonnir am gyngerdd a cynhaliwyd yn y capel i anrhydeddu John Williams, Pen y Bryn, ac am berfformiad arbennig a gafwyd y noson honno . . .*

Daliodd y gyngerdd hon yn hir a hwyliog, ac amrywid rhwng canu a lluchio matsis o olau amryliw i'r awyr, oni ddaeth prif ran y cyfarfod oddi mewn – perfformio'r 'Mab Afradlon', newyddbeth yn y fro. Yna rhuthrodd pawb oedd oddi allan i borth y capel. Yr oedd y perfformiad hwn yn llwyddiant digymysg bron. Y mae'n wir fod y mab hynaf yn ieuengach na'r Mab Afradlon, a'r tad yn ieuengach na'r ddau, ond perfformiad ydoedd, ac iddo wers. Effeithiol iawn oedd myfyrdod y Mab Afradlon ynghylch beth a wnâi â'r rhan a ddigwyddai iddo o'r da. Penderfynai y trafaeliai yn nosbarth cyntaf y trên, yr âi i'r chwaraedai pwysicaf, a'r tafarnau mwyaf golygus. Ac yn òd iawn er mai yn y dwyrain yr oeddynt, enwau Saesneg adnabyddus oedd ar y chwaraedai a'r tafarnau i gyd. Aeth y Mab Afradlon i'r wlad bell mewn cap coch, ac i fyny un ochr i'r capel trwy'r gynulleidfa yr oedd y ffordd yno, a phawb yn gwneuthur lle iddo, heb gymaint ag un yn ceisio'i argyhoeddi ei fod yn mynd ar gyfeiliorn. Wedi cyrraedd y porth, sef y wlad bell, trodd ei gôt

17

y tu chwith allan, a daeth yn ôl yr ochr arall i'r capel, â het gron, galed, wedi colli ei chantal, a elwir yn gyffredin yn 'fowlar', am ei ben yn lle'r cap coch – anghyffredin a rhyfedd yw dulliau dwyreinwyr o wisgo. Un camgymeriad, a hwnnw'n un bach, a wnaethpwyd trwy'r holl berfformiad. Daeth y Mab Afradlon yn ôl o'r wlad bell yn rhy fuan, cyn i'w dad fod yn barod amdano, ac ef ar ganol ei fyfyrdraeth hiraeth ar ei ôl, a bu raid i'r Mab Afradlon sefyll ar ganol y capel nes i'w dad orffen, a'i dad yn edrych tros ei ben i'r pellter mawr, â'i law yn cysgodi ei lygaid rhag yr haul, yn cymryd arno fethu â'i weled yn unman. Pwysicach i'w dad oedd cael gorffen ei fyfyrdraeth na derbyn ei fab yn ôl, ac nid yn rhyw dda iawn y cofiai hi. Ond at ei gilydd yr oedd yn berfformiad llwyddiannus tros ben, a bodlonwyd pawb, a theimlid yn gyffredinol fod cyngerdd anrhydeddu Gŵr Pen y Bryn yn deilwng o'r amgylchiad.

Wedi gorffen y rhaglen, rhoddwyd cymeradwyaeth driphlyg i'r Cadeirydd a'i briod gan y gynulleidfa oddi mewn a'r gynulleidfa oddi allan, er na chafodd y gynulleidfa oddi allan ddim o'r gyngerdd, ond cyfleustra i groesawu'r Mab Afradlon i'w mysg am ychydig ym mhorth y capel.

E. Tegla Davies: *Gŵr Pen y Bryn*, 117-118.

Yr Hen Siandri

(Detholiad)

*Y mae Williams, cyfaill adroddwr y stori, ar ôl prynu
hen gerbyd ail-law, wedi ei berswadio i gyd-deithio ag ef
i'r farchnad yn y dref . . .*

Tybiwn fod naw o'r gloch yn annaturiol o gynnar i
mi gychwyn, ond yr oeddwn wrth ben y lôn yn
brydlon i'r amser. Nid oedd arwydd o'n cyfaill yn
unman, a lled obeithiwn ei fod wedi torri i lawr ar
ddechrau'r daith; ond ymhen rhyw ddeng munud
clywn silinderau'r Hen Siandri'n tanio, ac yn y
man daeth i'r golwg heibio i dro yn y ffordd, yn
teithio'n araf ond yn sicr. Gwelwn Williams yn
agor y drws ar ei chwith cyn cyrraedd ataf.

'Neidia i fyny,' ebr efô. ''Waeth i mi heb stopio;
mae hi dipyn yn dwtsus wrth gychwyn.'

Eisteddais a'm gwneuthur fy hun yn gysurus.

'Wel,' ebr Williams, 'be wyt ti'n feddwl o'r *turn-
out?*'

Y meddwl cyntaf a ddaeth ataf oedd y gellid yn
hawdd gymryd fy nghyfaill oddi wrth ei ddiwyg
yn berchennog *Rolls-Royce*, a'r llall y gellid yn
hawdd gamgymryd yr Hen Siandri o ran ei
chyflymder am *steam-roller.*

''Fedri di ddim cyflymu tipyn ar y peiriant,
Williams?' gofynnais. 'Mi fuaswn yn leicio

cyrraedd y Llan cyn i'r farchnad fynd trosodd.'

'Paid â phryderu dim,' ebr Williams. 'Rydw i'n siŵr o dy gael di yno mewn pryd, ond rhaid i mi gymryd pwyll ar y cychwyn yma, wyddost. Mae'r llyfr 'na'n deud na ddylai neb ymyrryd â'r ail sbîd nes bo wedi llwyr ymgydnabyddu â'r cynta'. Mae hi'n cicio'n gynddeiriog hefyd wrth ei symud i'r ail gêr.'

'O, wel,' meddwn i, gan eistedd yn ôl a cheisio bodloni i'r drefn.

Cynigiodd Williams lifft i ŵr traed a âi heibio inni, ond dymunai hwnnw arnom ei esgusodi gan ei fod ar frys. Eisteddais innau ymhellach yn ôl wedyn. Yn ffodus, yr oedd y ffordd yn un lled ddidramwy, ac ni welsom ond ychydig o fodau dynol. Cymerai'r ychydig hynny, fodd bynnag, ddiddordeb neilltuol ynom, o'r bachgen a âi heibio ar ddeurodur ac a gynigodd hysbysu'r teulu ein bod ar y ffordd, i'r dyn a gaeai adwy am y clawdd â ni, gŵr a oedd dan yr argraff mai colli'r hers yr oeddem. Yr oedd pob un o'r cyfarchion boreol hyn yn cyrraedd fy nghalon i'n ddi-feth, ond yr oedd fy nghyfaill wedi ymgolli gormod yn ei beiriant i gymryd nemor sylw ohonynt. Wedi traethu'n fyr ar ddau bechod parod y Cymro gwledig, sef anfoesgarwch a chenfigen, aeth ymlaen i enwi gwahanol rannau'r peiriant wrthyf, ynghyd â'u swyddogaethau. Yr oedd yn amlwg wedi rhoi astudiaeth fanwl i'r llawlyfr, ond mwy boddhaol i mi fuasai iddo ddangos tipyn o ofal ymarferol. Pan oedd ar ganol egluro i mi egwyddor *internal combustion*, llithrodd yr Hen Siandri yn sydyn i bwll hwyaid ar fin y ffordd. Wrth lwc, cadwodd Williams ei ben, a thrwy wneuthur defnydd hyfedr o'i draed a'i ddwylo, cipiodd ni i fyny o drothwy dyfrllyd fedd.

Teithiem am ryw chwarter awr ar hyd darn o'r ffordd bost, ac yn ystod y cyfnod byr yna daethom yn dra phoblogaidd. O'r lliaws a aeth heibio inni, yn ôl ac ymlaen, mewn moduron, ni phasiodd yr un heb roi annerch i ni trwy air neu ystum.

'Paid â chymryd dim sylw ohonyn' nhw,' ebr Williams, ac aeth ymlaen i sylwi ar fanteision teithio'n araf. Cyfle i fyfyrio'n dawel ac i astudio natur yn ei thlysni a'i rhyfeddodau. Dywedais wrtho yr amheuwn a oedd gan natur y bore hwnnw rywbeth yn y ffordd o ryfeddodau i gystadlu â'r Hen Siandri a ninnau.

Yr oedd inni ddewis o ddwy ffordd a ganghennai o'r lôn bost tuag at y Llan, a pherswadiais Williams i gymryd y gyntaf a'r fwyaf ansathredig o'r ddwy. Yr oeddwn wedi blino ar y ffordd bost. Edifarheias yn ddiweddarach. Pe buaswn wedi dewis yr ail, dichon na fuasem wedi achosi cymaint o heldrin ag a wnaethom yn ein mynediad i mewn i'r Llan. Yr oedd heol gul, heb ynddi ond digon o le hwylus i un llinell o drafnidiaeth, yn arwain o'r ffordd i ganol y dref.

Erbyn inni gyrraedd pen yr heol, yr oedd yn tynnu at hanner dydd, a cherbydau marchnad yn dechrau casglu yn un llinell o'r tu ôl i ni. Yn dynn ar ein sodlau yr oedd dynes dew a bachgen gyda llwyth o wyddau wedi eu brasbluo. Ar gwt y rheini yr oedd hen ffarmwr a'i wraig mewn gig hen-ffasiwn, hwythau drachefn yn cael eu dilyn gan res o foduron o amryw fathau. Â'i ben allan o un o'r moduron, erfyniai Sais gwritgoch ar i rywun ddeffro'r ynfytyn ar y blaen, a deallwn oddi wrth sgwrs y ddynes dew ei bod yn hwyr am y farchnad eisoes, y daliai fy nghyfaill Williams yn gyfrifol am bob gŵydd a fyddai heb ei gwerthu, ac na hidiai hi'r un ffeuen â gwneuthur i Wil, y bachgen, ein rhedeg i lawr.

'Paid â chymryd dim sylw ohonyn' nhw,' ebr Williams. 'Mae gen i gymin o hawl i'r ffordd ag sy gynyn nhwythau.'

'Wel, dyro dipyn o fywyd yn yr hen beth yma, da ti, Williams,' erfyniais. Tebygwn fod yr Hen Siandri wedi arafu, a'i bod bron ar ddiffygio. 'Rydan ni'n atal y *traffic*.'

'Na hidia ddim,' ebr Williams, gan bwyso'i droed ar yr *accelerator*. 'Mae pum munud o brofiad mewn *traffic* fel hyn yn well i mi, was-i, nag wsnos hefo Morus y Moto adra acw.'

Yn union, sylwais ar ddau ddyn yn sefyll ar y palmant mewn ymgom ddofn a heb ein canfod nes oeddem yn gyfochrog â hwy. Cyn gynted ag y syrthiodd eu llygaid arnom ac ar y llinell o gerbydau o'r tu ôl inni, diosgodd y ddau eu hetiau gan edrych megis rhai y daethai ton sydyn o alar trostyn.

'Be haru'r ffyliaid yna?' gofynnai Williams.

'Meddwl mai cynhebrwng ydan ni,' meddwn.

Ac yr oeddwn ar fin neidio allan i orffen y daith ar fy nhraed pan welwn blisman yn dod i fyny'n fywiog o gyfeiriad y sgwâr.

Safodd o fewn ychydig i ni, bwriodd drem swyddogol i fyny'r llinell gerbydau, a chamodd ymlaen atom.

'Rŵan, 'rŵan!' ebr efô wrth Williams. 'Be dâl peth fel hyn?'

'Be sy, *officer*?' gofynnodd Williams. ''Rydw i'n cadw o fewn y *limit*, – deng milltir yr awr, on'd ydw i?'

'Deng milltir yr awr!' ebr y plisman yn syn, gan symud yn araf gyda ni. 'Wel, ddyn, os ydach chi'n gneud deng milltir yn 'r wsnos, mi fyta i fy *helmet*. 'Rŵan, rhowch dipyn o *gas* iddi hi; 'rydach chi'n blocio'r *traffic*.'

Troes Williams ataf.

'Wel, yn dy oes,' meddai mewn tôn gwynfannus, ''glywaist ti am ddyn yn cael ei alw i gyfri am drafaelio o dan y limit?'

Ac ar y gair, fel petai hithau'n dymuno protestio, distawodd yr Hen Siandri a safodd yn stond.

Clywn ddadwrdd sydyn o'r tu ôl, y ceffylwyr yn bloeddio 'We bac!', y modurwyr yn brecio, a'r ddynes dew a'r Sais gwritgoch yn bwrw anathema.

'Be gebyst ydi'r matar 'rŵan?' ebr Williams, a neidiodd i lawr i roi tro ar y cranc. Ond i ddim pwrpas; nid oedd arwydd bywyd yn yr Hen Siandri. Tynnodd ei fenig ac yna'r gob fawr, a dechreuodd droi o ddifrif. Ceisiai'r plisman, yn y cyfamser, symud y llwyth gwyddau'n ôl er mwyn cael golwg ar rif yr Hen Siandri; cymerth y ddynes dew a'r Sais gwritgoch fantais ar y cyfle i felltithio fy nghyfaill Williams mewn dwy iaith, ac yr oedd amryw o'r gwyddfodolion yn ei gyfarwyddo yn y dull priodol o afael yn y carn.

Yn y man daeth gŵr o fodurwr ymlaen. Cododd y foned, rhedodd ei fysedd yn wawdlym hyd y peiriant, edrychodd i mewn i ben blaen y car, a chododd ei ben.

'Hei!' ebr efô wrth Williams. ''Waeth i chi heb droi'r handl yna ddim. 'Taech chi'n troi hyd ganiad yr utgorn, 'thanith hi ddim. 'Does yna ddim petrol yn 'r hen fws.'

Rhoes Williams ochenaid, a sychodd y chwys oddi ar ei dalcen.

'Cicia fi!' ebr efô. 'A finna'n gwybod fod yr hen genawes yn un ffond o ddiod!'

Caed dwylo ewyllysgar i wthio'r Hen Siandri i le clir, ac aeth y *traffic* heibio.

''Faswn i ddim yn cymryd punt am y profiad,

was-i,' ebr Williams. 'Ond rŵan, dos i neud dy negesau; mi welaf di yn y farchnad. Rhaid i mi fynd am betrol ar ôl i mi gael gair yn gyfrinachol hefo'r plisman 'na.'

Nid arosasom fawr yn y Llan, gan y dymunem fynd adref cyn iddi dywyllu. Cawsom gyfle, fodd bynnag, yn y farchnad, i ddod i gymod llawn â'r ddynes dew trwy brynu cwpwl o wyddau ganddi.

Aethom allan o'r Llan yn fwy di-stŵr nag y daethom i mewn iddo, a gobeithiwn yn fy nghalon y byddai'r siwrnai adref yn lled ddidramgwydd.

Felly y bu am gryn bellter, ac eithrio ymddygiad ynfyd rhai o'r fforddolion tuag atom; ond wedi inni adael y briffordd filltir neu ragor rhoes tynged ysgytiad i ni drachefn.

'Hylô, be 'di hwn?' ebr Williams, gyda'n bod wedi troi cornel sydyn yn y ffordd.

'Hwn' ydoedd hen fachgen yn gyrru hwch focha o'i flaen, a chanddo tua phum llath o gortyn ynghlwm â'i hegwyd ôl.

''Dda gen i ddim pasio moch ar y ffordd,' ebr Williams. 'Wyddost ti ddim lle i'w cael nhw. Mae'n nhw'n fwy ansicr na merched.'

Ac yn wir, yr oedd yr hwch, wedi clywed sŵn y modur, yn dechrau mynd yn afreolus yn barod, a'r gyriedydd yntau wedi taro'i getyn yn ei boced ac yn plycio ar y cortyn.

''Phasiwn ni byth moni yn y sbîd yma,' meddai Williams. 'Mae arna' i flys cynddeiriog ei chodi i'r ail gêr a rhoi *spurt* heibio iddyn' nhw . . . Dal d'afael,' meddai'n sydyn, gan roi blaen troed i bedal neu ddau a hergwd i lifar; ac ar unwaith, gan grensian ei ddannedd a chicio, rhoes yr Hen Siandri grychnaid ymlaen, a chydag 'Wch! Wch! Wch!' cymerth yr hwch focha ei charlam.

'Wel, 'rŵan amdani!' ebr Williams, gan gofleidio'r olwyn. *'Neck or nothing!'*

'Hei, ddiawliaid!' bloeddiai'r hen fachgen dros ei ysgwydd. 'Stopiwch y tun paraffîn 'na!'

Ond yr oeddem ymron yn gyfochrog â hwynt erbyn hyn, ac yr oedd yn amlwg fod yr hen hwch druan wedi dod i gredu fod y diafol yn ei gerbyd tân ar ei sodlau. Rhoes wich anobeithiol a llamodd yn syth ar draws y ffordd, ac i Ragluniaeth yn unig yr ydys i ddiolch na wnaethpwyd yr hwch focha yn facyn yn y fan a'r lle.

''Leddais i hi, dŵad?' gofynnai Williams, gan atal y peiriant. Ond yr oedd yr hwch yn carlamu'n wyllt yn ôl hyd y ffordd y daethai, a'r hen fachgen yntau, a oedd, wrth lwc, wedi gollwng ei afael o'r cortyn, yn eistedd yn fyw ddigon ar ymyl y ffos. Yr oedd yn hen fachgen huawdl ac eithriadol anystyriol o'i oed.

'Paid â gwrando arno fo,' ebr Williams, gan ollwng y *clutch* i afael yn ffyrnig. 'Ddylai hen ddyn yn yr oed yna ddim cael dreifio anifail ar y ffordd fawr. Yn y tŷ wrth y tân y dylai fod, yn paratoi am ei ddiwedd.' Tybiwn fod gan yr hen fachgen gryn waith paratoi.

Ymhen tipyn ar ôl hyn bu raid i ni oleuo'r lampau a ninnau eto encyd o ffordd o dref. Eiddil oedd y goleuadau, ond yr oedd lleuad braf yn gwenu arnom o ffurfafen serog. Daeth distawrwydd graddol rhyngom, canys syrthiasom, yn ddiarwybod megis, o dan gyfaredd y lloer. Sieryd y lloer wrthyf i am ieuengrwydd a hoen, tlysni a serch. Ehedai fy meddwl i lawr y blynyddoedd i dymor mebyd, a gwelwn 'Y lleuad yn ola, plant bach yn chwara, a lladron yn dŵad tan wau 'sana.' Gwelwn wedyn 'Y lloer yn dyst o'r amod' . . .

"Fyddi di'n leicio pennog coch?' gofynnodd Williams yn sydyn. 'Mi brynais i dipyn yn y Llan.'

Canfûm gyda siom mai gyda phethau materol yr oedd fy nghyfaill o hyd. Ceisiais ei ddenu i'm byd lledrith trwy gyfrwng barddoniaeth, a llwyddais i raddau.

'Cerdded cwr ydfaes, cwrddyd cariadferch,
Ac is lloer ifanc syllu ar hoywferch,'

meddwn i.

'*Champion!*' ebr Williams. 'Rhaid i mi adrodd honna i'r misus wrth fynd allan hefo hi nos yfory. Mae rhyw *touch* o sentiment rhwng gŵr a gwraig, wyddost, fel dropyn o oel i siswrn.'

A mi'n gwybod bod y misus o natur amheus, a

bod perygl iddi gamesbonio cymhwysiad y geiriau, anogais Williams i wneuthur defnydd o gwpled arall mwy amhersonol ei chenadwri.

'O'i gorsedd wen am ennyd
Y lloer bell sy'n llywio'r byd,'

dyfynnais.
'Twt gynddeiriog,' ebr efô. 'Adrodd hi eto.' A gogwyddodd ei ben i wrando.

'O'i gorsedd wen am ennyd
Y lloer bell sy'n llywio'r . . . '

'Hei, ffyliaid, pam 'drychwch chi lle 'dach chi'n mynd?' ebr llais dicllon o gyfeiriad y *radiator*, a chyda hynny aeth yr Hen Siandri i wrthdrawiad â pholyn teligraff. Gwelem ddeuddyn yn llithro ymaith, un ohonynt, perchennog y llais, yn chwyrnu'n enbyd arnom. Ni dderbyniodd fy nghyfaill a minnau ond yn unig ysgytiad ysgafn, eithr clwyfwyd yr Hen Siandri yn dost.

'Wel,' ebr Williams, gan edrych yn syn ar y dŵr yn pistyllu o'r *radiator*, 'mae hi wedi canu 'rŵan.'

Tybiwn y buasai'n anodd cael gwell crynhoad o'r sefyllfa.

'Wel, 'rŵan, be wnawn ni hefo hi?' ebr Williams. ''Wiw i mi ei gadael ar ochor y ffordd; mae Jos y Plisman gymin o Robin y Busnas. Diaist i, 'fyddai rwbath gen ti roi benthyg ceffyl i mi i'w thynnu adra?'

'Gyda phleser,' atebais. Ac euthum adref ar unwaith i gyrchu'r gwas bach a'r hen gaseg. Nid oeddem fawr bellter oddi wrth y ffordd a arweiniai at y tŷ.

Bachwyd yr hen Loffti, a chodwyd y gwas bach ar ei chefn i'w harwain. Cymerodd Williams ei le wrth y llyw, a chan y mynnai i minnau hefyd ddod i'w danfon, eisteddais wrth ei ochr. Aethai'r hen gaseg â ni'n ddigon didramgwydd ac eithrio un digwyddiad wrth fynd i lawr gallt.

'Dal di dipyn ar y slac wrth fynd i lawr yr allt yna, cwb,' meddai Williams.

'O'r gora, Mr Wilias. We! Bac!' gwaeddai'r gwas bach.

Yn anffodus, daliodd ar ormod o slac' nes i'r peiriant sodli'r hen Loffti a pheri iddi roi un gic o brotest i'r *radiator*. Ond yr oedd hwnnw'n barod, chwedl Williams, wedi ei roddi allan o gywair gweithio.

Â'u pwysau ar wal ar gwr y pentref, safai dau fachgen a oedd, a barnu wrth eu hosgo, wedi hen alaru ar fywyd pentrefol. Nid cynt, fodd bynnag, y syrthiodd eu llygaid arnom ni nag y dadebrodd y ddau'n drwyadl. Rhoes un hanner tro, a chan osod ei fysedd rhwng ei ddannedd, chwibanodd yn groch. Rhoes y llall dro crwn ar ei sawdl, a rhedodd i fyny'r heol gan floeddio nerth ei ben:

'Hei, bois! Syrcas!'

'Williams,' meddwn i, â'm troed ar stepan y car, 'mae arna i eisio gweld Rhobart Robaits, y Saer, am funud. Gwelaf di eto.'

A chyn i'm cyfaill lawn sylweddoli fy mwriad yr oeddwn wedi llithro ymaith ac ymgolli yn y dyrfa a ddylifai blith draphlith i lawr yr heol.

Y farn gyffredinol ar y dechrau ydoedd mai syrcas oedd yn dod, yn cael ei rhagflaenu gan un o'r arddangosiadau fel hysbyseb. Ond o dipyn i beth, daeth pawb i wybod nad ydoedd yn ddim angen na'm cyfaill Williams yn cael ei ddwyn adref o drybini gan y gwas bach a'r hen Lofti. Ni leihaodd y wybodaeth hon yr un gronyn ar y diddordeb, ac y mae'n debyg na ddaeth gŵr erioed adref o farchnad Nadolig gyda'r fath osgordd orfoleddus yn ei hebrwng at ddrws y tŷ.

Un anghydffurfiwr yn unig a welais, a hwnnw, fel y gellid disgwyl, ydoedd Jos y Plisman. Cerddai wrth ochr yr Hen Siandri, ac yr oed golwg ddryslyd arno, megis un na allai benderfynu o dan ba adran o'r gyfraith i gymryd gafael yn y drwg- weithredwr.

Yr wythnos ddilynol darllenais yr hysbyseb a ganlyn yn y papur lleol:

'Cerbyd modur ail-law. I'w werthu'n rhad, neu i'w gyfnewid am gramaffôn. Ymofynner â Williams, Siop y Sgwâr, Llanaraf.'

W.J. Griffith: *Storïau'r Henllys Fawr*, 43-56.

Lletchwithdod

(Detholiad)

'Ond ar y cyfan, falle, yn shei ac yn nerfys o'dd Bili ni 'da mynŵod yn fwy na dim. Wedi'r cwbwl, pan fo dyn yn ffilu cered tsha thre o'r cwrdd 'da'r fenyw drws nesa heb fwrw'i het hi off wrth acor ymbrelo, ne gico hi ar i phicwrn dwy ne dair gwaith, mae e'n dysgu gytag amser i gatw draw o'r ffordd a neud dim â nhw.

Wel, ta beth, rhwng popeth, o'dd Bili yn bump ar hucen cyn bod sôn amdano fe'n hitsho mla'n at neb – a o'dd honno'n byw drws nesa. Ie, Nesta wy'n feddwl, merch ienga Mrs Tomos. Pan ddychrûws i mam fynd yn ffyletig, fe dda'th nôl o Lunden i gymryd câr ohoni. O'dd hi wedi neud yn dda 'co hefyd; o'dd hi'n *Sister* miwn hosbital fawr 'na yn rhywle. Ta pun, fe dda'th nôl i ofalu am 'i mam.

'Fues i ddim yn hir cyn gweld bod Bili, druan, wedi cwmpo yn fflachdar amdeni. Ychi'n napod yr arwyddion: tueddu pendrymu a golwg bell yn 'i lyced e am sbele hir; mynd off i fwyd, gwrthod byta shibwns, shafo'n fwy amal a dechre rhannu'i wallt yn fwy deche, a phethe felna. Ond wetws e ddim gair am y peth – arwydd arall, wrth gwrs.

I fod yn berffeth onest â chi, wy'i bownd o weud 'na cheso i'n hunan ddim argraff ry dda arni ar y dechre. Tipyn bach gormod o fadam i'n siwto i; wedi cyfarwyddo â ordro dynon am bothdi yn yr hosbital, a chretu bo' hi'n gallu neud yr un peth lawr 'ma. Wy'n cofio neud cyfeiriad ati ryw nosweth, ddim yn hir wedi iddi ddod nôl.

'Shwd ma Nesta'n shapo?' meddwn i wrth 'mam. O'dd Bili yn delwi fanny wrth ochor y tân.

'O, mae'n dod,' medde' 'mam. 'Mae'n ferch fach ddeche iawn, allwn i feddwl.'

'Hm, wel, 'na fe,' meddwn i, 'pobun â'i dast, wrth gwrs. Yr argraff s'da fi yw bod tipyn bach o feddwl 'na. 'Na'r argraff wy i wedi'i ga'l, 'ta beth. Beth yw dy farn di, Bili?'

'Na gritic wyt ti, Dai!' medde fe'n bicog reit. 'Ma rhwpeth yn rong ar bawb 'da ti, ŵ! I weud y gwir wrthot ti, 'dwy'i ddim wedi gweld llawer oheni. Ma'hi wedi bod yn y siop 'co gwpwl o withe, 'na i gyd.'

'Oti,' meddwn i wrth 'y'n hunan, 'a wyt ti wedi gofalu rhoi popeth neisa iddi ed, wy'n siŵr!'

Wel, 'ta beth, fe wna'th Bili dir lled dda unwaith wna'th e 'i feddwl lan i drio'i lwc; mynd â hi i'r sinema a ambell i gonsart a phethe felna. O'dd y ddwy ochor wrth'u bodd, allwni feddwl, i whiorydd hi yn dod i ddishgwl ar ôl 'i mam yn y nos er mwyn i Bili ga'l hewl glir, a 'nhad a finne yn disghwl ar ôl y siop ambell i nosweth.

Wel, un dywrnod 'ma'r lein ddillad drws nesa yn torri, a 'ma Nesta yn galw dros ben y wal ar Bili.

'Gadewch e fod i fi,' medde Bili. 'Fe ddota i-dd-hi'n reit i chi 'nawr! Mam, ble ma 'nhad yn catw'r bocs twls?'

Miwn hanner awr o'dd Nesta yn galw ar mam yr ail waith: o'dd leined gyfan o ddillad glân ar lawr yr ardd – y lein wedi torri.

'Wel, cerwch odd'na! Wel, 'na dr'eni, ontefe? Gynne fach dotws Bili dd-hi'n reit, nace fe? Ma'r lein yn hen, siŵr o fod,' medde mam.

'Nag yw,' medde Nesta. 'Lein newydd sbon yw hi. Ddim wedi ca'l 'i chlymu'n sownd o'dd hi.'

'Hm,' medde mam, yn ochneidio'n ysgafn. 'Sefwch, fe alwa'i ar Bili o'r siop 'nawr.'

'Na, gadewch e fod,' medde Nesta. 'Ma gwaith golchi rhain 'da fi cyn 'ny. Na, pidwch â'i alw fe o'r siop 'to. Mae'n ôl reit.'

A wir, 'nhad ddotws y lein yn reit yr ail waith.

A 'na'r dydd Sul 'ny pan o'dd y pregethwr drws nesa i de. Ce'nder i'r hen wraig o Landilo, a Nesta wedi paratoi te yn iawn iddo fe. B'ytu gwarter i bedwar 'ma rhwbeth yn cwmpo'n fflachdar ar lawr y bac – treiffl ne jeli ne rwpeth o'dd Nesta wedi'i ddoti ma's i seto ar y wal. O'dd rhwpeth wedi mynd yn rong ar ymbrelo 'mam, a Bili wedi mynd ag e ma's i'r bac i weld beth alle fe neud ag e . . .

Fe dda'th Bili tsha thre yn strêt ar ôl y cwrdd nosweth 'ny – Nesta yn gweud bod 'i phen hi'n dost.

33

Digwiddws rhyw bethe erill hefyd, medden' nhw wrtho i. Ta pun, 'ma pethe'n dechre mynd o whith. Popeth yn itha tidi, cofiwch, ond o'dd rhwpeth wedi mynd yn rong yn rhywle, a'n sytyn, fe gwplws y peth felna.

Fe gmerws Bili'r peth yn dost, wy bownd o weud. 'Wetes i ddim gair, wrth gwrs. Y peth gore pan fo dyn yn y cyflwr 'na yw gweud dim a gatel pethe'n llonydd. Ond whare teg i Bili, fe wna'th y peth iawn; fe a'th i witho'n galed a gwella'r fusnes. Fe brynws fan a cha'l bachgen ato fe i fynd â hi rownd i'r tai, a chynyddu'r fusnes yn y ffordd 'na.

Ond o'dd dim siâp ar y fusnes arall. 'Wetws neb ddim gair, fel gwetes i, ond o'dd pawb – y ddwy ochor, whare teg – yn ddicon diflas ac yn flin iawn am y peth.

Wel, ryw nosweth yng nghenol yr haf 'ny dyma Bili'n mynd am dro i ben y mynydd. Dyna'i arfer e'r flwyddyn 'ny; cilo o'r ffordd, allwn i feddwl. Wedi'r cwbwl, peth diflas iawn yw byw drws nesa i rywun ŷchi'n trio osgoi, yn enwetig yn yr haf. Ta pun, mynd i ben y mynydd wna'th Bili, esgus mynd â'r ci am dro.

Wel, pan o'dd e'n ishte'r nosweth 'ny ar Sticil Ca' Mawr, pwy welws e'n dod i lawr dros y llwybyr o'r Gelli Fach ond Nesta; wedi bod lan yn nôl menyn a wîe idd 'i mam.

O'dd dim i neud, wrth gwrs, ond neud y gore o bethe, a thrio bod yn naturiol. A 'ma nhw'n dechre siarad – am dipyn o bopeth – am y tywydd, am y siop, am y pregethwr y Sul cyn 'ny – ond yn enwetig am y tywydd.

Ond yn sytyn, 'ma Bili'n gofyn iddi'n *point-blank* beth o'dd yn bod.

Fe atebws hithe yr un mor blaen; o'dd hi'n flin iawn, ond o'dd hi bownd o weud, o'dd 'da hi fawr o olwg ar ddynon o'dd yn ffilu disghwl ar ôl 'u hunen; o'dd hi'n lico gweld dyn yn weddol o ddeche, ac yn gallu neud rhyw bethe bach iwsffwl pan o'dd ishe. 'Alle hi ddim help, ond o'dd dynon lletwith yn mynd ar y nyrfs hi.

'Hm,' medde Bili'n dawel, ''na fe. Wel, 'na fi ma's o'r whare 'te. Wy'n gwpod nag wy ddim yn rhyw fachan deche iawn ar 'y nwylo. Wy'n neud 'y nogre – ŷchi'n cyfadde 'ny, wrth gwrs?'

O, o'dd, o'dd o'dd; o'dd dim 'da'hi yn 'i erbyn e felny – dim ond bod – wel, 'na fe. Beth o'r gloch o'dd hi? O'dd hi'n bryd iddi fynd.

A 'ma nhw'n cered lawr 'da'i gilydd heb weud llawer o ddim, dim ond ambell air bach am y tywydd. O'dd hi yn nosweth ffein – o'n nhw'n cytuno'n bendant ar 'ny.

Ond ar wilod y llwybyr, 'ma Nesta'n awgrymu'u bod nhw'n croesi Ca Bryn Gelli yn lle mynd rownd i'r hewl.

'Reit,' medde Bili, a 'ma fe mla'n i ddala'r weiar bigog iddi ga'l mynd drwodd.

'Dewch â'r wîe i fi,' medde fe.

35

Erbyn o'dd Nesta wedi paso trw'r weiar i'r ochor draw, o'dd dou beth wedi dicwdd: *o'dd Bili wedi gatel y wîe i gwmpo, a o'dd rap trodfedd o hyd yng nghot Nesta . . .*

Whare teg: wherthin wna'th Nesta – wherthin heb stopo am sbel fawr, a Bili druan, fel y galchen, yn disghwl arni'n hurt.

* * *

O'en nhw yn y sinema 'da'i gilydd y nosweth ar ôl 'ny. Miwn tair wthnos o'en nhw yn Abertawe yn prynu ring – y gwaith smarta wna'th Bili yn 'i fywyd.

Fe wede rhywun ffra'th 'i dafod, falle, taw dyna'r lletwithdod mwya wna'th e ario'd. Wel, rhydd i bob dyn 'i farn; nid dyna 'marn i.

Maen' nhw'n briod 'nawr ers peter blynedd ac yn byw'n hapus dros ben.

O, ie: fe adawŵs y ring i gwmpo yn y briotas.

Yn nerfys ôdd e, medde fe.'

Islwyn Williams: *Storïau a Phortreadau*, 24-28.

Helynt yr Hetiau

Cwestiwn chwilfrydig ar ddiwedd pob 'Steddfod neu Noson Lawen, neu Gyngerdd: 'ble aflwydd mae'r het?'

Gellir ei lleoli yn burion mewn Cyfarfod Misol gan fod relen daclus o dan y fainc i'w chornelu. Gwelais Feirniad Canu mewn Steddfod ym Mhentrellyncymer wedi mynd i banic o'i cholli. Tystiai iddo ei gadael ar y ffenestr. Adeg gwaith dŵr yr Alwen oedd hi, a thystiai wàg o feirniad arall iddo weld clamp o nafi Gwyddelig yn sbiana drwy'r ffenestri, nes dyfnhau cnofeydd y collwr! Chwalwyd y gofidiau pan gafwyd hi mewn cornel snec.

Oes mae wyth mlynedd ar hugain er pan gollwyd yr het ar Fwlch Oerddrws, a bu'n destun cân i'r gwalch barus am wythnosau yn y papur lleol. Dod o Gyngerdd y Foel yr oedd Llywela a minnau yn hen Ffordyn ffyddlon John Gruffydd y Cablyd. Nos Galan oedd hi, ac yn storm enbydus o wynt a glaw. Honnai'r gyrrwr fod tuedd i rerio yn y cerbyd o dan nerth y gwynt, a dringai y rhiw yn araf a ffyddiog. Ar y crwper yr eisteddwn i, ac o fewn rhyw ganllath i'r tro mawr, dyma'r rhowtian mwyaf annaearol oddi tanaf, yr oedd yr olwyn goronog mor amddifad o gocos â'ch garddwrn.

Plannodd Sionyn i'r breciau, draed a dwylo, a'r gwynt fel pe'n dweud: 'aros di boi, mi roi i blwc ecstra'. 'Chwilia am scotsen,' ebe'r dreifar. Neidiais i lawr, a chefais garreg heb fod ymhell o ganpwys mi wna lw. Wrth fustachu hefo honno, dyma'r gwynt yn cipio'r het i dywyllwch y storm, ac ymhen pythefnos y daeth plant Pennantigi o hyd iddi ar fynydd dyn arall!

Y Gistfaen agorodd y bowt gyntaf:

'Rhowch stabl i farch y Cablyd, – a falodd
Yn filain ddychrynllyd;
Malu'r mêr a'r gêr i gyd.
A'i nwyf yn greision hefyd?'

Ond fe ddaeth amddiffynwyr i'r anffodus di-het ac ebai un ohonynt yn gall a rhesymol:

'Colli het? y call all hyn,
Chwi geriach gollsoch gorun.'

A ribowndio y buont yn hir, fel Dewi Hafesb a Threbor Mai yn y ddadl ddirwestol honno.

A ddarfu i chwi rentu dwy het rywdro? Dyna helynt heb ei bath. Gwnes hynny yn bur ddiweddar, a bu'r collwr ar bigau'r drain nes ei hailgyfarfod, a gwario galwyn neu ddau o betrol i'w chyrchu tua thre. Er i mi ddweud iddi gael tynnu ei llun, ni liniarai hynny'r gofid.

Tybed a oes llawer o bennau o'r un faintioli. Dibynna beth ar drwch y gwallt efallai. Tua'r saith

a chwarter. Gwelodd Williams Parry ddau arall
wedi ffeirio dwy het:

'Pregethwr mewn het Person, Pam?
Ac yntau wedi gwadu'r Fam.'

Ffeiriais innau het pregethwr adeg Undeb yr
Annibynwyr yn y Bala. Noson Lawen oedd hi yng
Ngwersyll Glan-llyn a phawb ar eu huchelfannau.
Trwy ryw anffawd, het y Parch. Rhys Thomas a
ddaeth hefo mi adre. Clywodd toc fy mod yn torri
cyt ynghanol anifeiliaid ffair y Bala, a chefais
lythyr gogleisiol oddi wrtho. Os mentrodd ef i'w
gyhoeddi yn yr het a gafodd yn gyfnewid, ofnaf y
cyhuddid saint yr Aran o gadw eu gweinidog yn
ddi-raen.

Pan fyddaf yn ymado o dŷ Meirion Jones y Bala
– ac mae hynny, yn weddol amal – clywir y
Gamaliel yn crochlefain: 'Gwylier rhag methu dwy
het,' fel pe bawn yn lleidr hetiau. Digwyddodd
hynny unwaith, 'a'r mwyaf i gam, cam lleidr'. Yr
unig le nad oes beryg i'r anffawd ddigwydd ydyw
yn nhŷ Siôn Ifan, Porthmadog. Onibai fod gennyf
ddwyglust, diwerth a fai dau lygad, a medrwn
chwarae mwgwd-yr-ieir ar y stryd.

Ond o bob profiad, dwyn het oddi arnoch chwi
eich hun yw'r chwerwaf. Cychwyn am Eisteddfod
Gwernllwyn – gwaelod Sir Aberteifi – yr oeddwn
yn y bore bach. Wedi ymddilladu daeth achos i roi

tro i'r buarth cyn cychwyn. 'Roedd hi yn snwcian bwrw glaw, a threwais hen het rhag sbwylio'r gwallt! Pan ddychwelais i'r tŷ, anghofiais am yr het Steddfod. Taith ddi-fws a di-drên oedd hi i fod, a dibynnu ar garedigrwydd y duwiau, ac eisiau cyrraedd yno erbyn un o'r gloch at ddaliad y pnawn.

Wedi cerdded milltir a chwarter hwyrach, daeth achos i ddiosg yr het. Prin i mi gyfarfod â merch ifanc na hen yr adeg hyn o'r bore, a dangos cwrteisi bowlyd, ond cyn wired â 'mod i'n fyw dyma ffeindio mai'r het gyn-ddilywaidd oedd yn selog am y sowth. Euthum yn swpach diymadferth. Rhy bell i droi'n ôl, a'r Samaritan cyntaf yn brecio. Llyncais bob balchter, ac i mewn â mi.

Yn wir, anodd ei diffinio. Nid bowlar wedi glasu yn yr haul, ond un frethyn, a'r ruban wedi dringo hanner y ffordd i fyny'r corun, tolciog iawn hefyd y cantal, ac arni ôl bodiau priddlyd a seimllyd.

'Doedd dim amdani ond mynd am het newydd. Y Bala mewn trwmgwsg, Dolgellau yn dechrau ystwyrian, a chyrraedd Aberystwyth cyn cael siop hetiau ar agor. Wedi bargeinio yn siop Morgan Rhys, lapiwyd yr hen chwaer mewn bag papur golygus, a'i gwthio i boced y gôt uchaf, a daeth y balchder cynhenid yn ôl.

Wrth ddychwel drannoeth, yr oedd natur dringo allan o'r boced ar mei ledi, a wir i chi erbyn cyrraedd adref, yr oedd yr hen greadures wedi canu:

'Ymado wnaf â'r babell
Rwy'n trigo ynddi'n awr.'

Bûm mewn chwech neu saith o geir. Ysgwn i pa un o'r rheini a'i ffansïodd hi? Y pedwerydd o Ebrill oedd hi; petai yn digwydd ar y cyntaf, medraf weld y gyrrwr yn ymfalchïo o'r anrheg wrth fodio y cwd papur lliwgar, ond pan daflodd olwg ar ei du mewn clywodd y rhoddwr yn edliw yn wamal: 'Ffŵl Ebrill!' Prin yr â hwnnw i Siop Morgan Rhys i brynu het, os rhai fel hyn sydd ganddo.

Dwysan Roberts (gol.): *Adlodd Llwyd o'r Bryn*, 61-64.

Bob Owen ar ei fis mêl

Bûm yn caru, yn ddigon dihidio mae'n wir, efo hon a'r llall er pan oeddwn yn bymtheg oed. Ac yr oeddwn mewn gwirionedd wedi cyrraedd oed hen lanc, yn ddeunaw ar hugain, cyn sôn am briodi. Y gwir amdani yw na choeliai neb y priodwn byth. Ni choeliai fy nheulu hyd yn oed ddiwrnod cyn fy mhriodas! Dod yn forwyn at ewythr a modryb imi yn y Wern a wnaeth Nel i mi gael gafael arni. Yn ystod ein cyfnod caru yr oeddwn i'n brysur iawn yn paratoi traethodau ar gyfer yr Eisteddfod Genedlaethol ac mae'n amlwg na roddwn ddigon o sylw i Nel. Onid oedd pobl yn ei hannog o hyd i 'beidio â chyboli' efo mi a'm 'hen lyfrau'? Diwedd y gân fu i Nel ddechrau fflyrtio, a gwelais innau fod hynny'n dweud yn ofnadwy arnaf. Methwn â bwyta ac nid oedd lun dim ar fy ngwaith.

Ond nid oeddwn wedi osio at briodi pan glywais fod tŷ'r gweinidog yn mynd yn wag yng Nghroesor. Ni fyddai ei angen i weinidog mwyach, gan yr unid eglwysi M.C. Croesor a Llanfrothen yn un ofalaeth. Dyna dŷ digon mawr i ddal fy llyfrau meddwn wrthyf fy hunan, ac mae'n rhaid imi gydnabod mai am dŷ digon mawr i'r llyfrau, nid i'r wraig, y meddyliwn i. Cefais y tŷ, a gofynnais i Nel fy mhriodi wedyn. Cytunodd hithau.

Priodasom ar fore Llun yng nghapel Siloam, Llanfrothen a phenderfynu mynd am fis mêl i

Aberystwyth. Merch swil iawn oedd Nel, merch fferm o Gaeathro – bron iawn â bod yn un o gofis Caernarfon. Nid oedd erioed wedi bod yn Aberystwyth cynt, a phrin y deallai'r Cardis yn siarad. Ond trannoeth y briodas yr oeddwn yn ei gadael ar ei phen ei hun drwy'r dydd. Heliais fy nhraed am bump o'r gloch y bore i Gaerfyrddin i siop lyfrau ail-law Dafydd Williams yn King Street. Bûm yno mewn storws yn ymbalfalu ynghanol y llwch a'r baw yn fy siwt nefi blw orau drwy gydol y dydd. Pan ddychwelais i Aberystwyth am ddeg y nos cariwn ddau sachaid helaeth o hen lyfrau prin. A'r gorchwyl cyntaf a gyflawnodd Nel yn ei bywyd priodasol oedd cario un sach llyfrau o'r stesion i'r tŷ lojin.

Trannoeth euthum â hi i'r Llyfrgell Genedlaethol. Credwn y buasai'n treulio diwrnod dymunol yno yn edrych ar hen ddarluniau mewn ystafell arbennig tra byddwn i'n copïo hen lawysgrifau. Yr oedd gennyf rai oriau o waith arnynt. Ymhen tri chwarter awr ar ôl imi ddechrau, dyma William Davies, yr is-Lyfrgellydd bryd hynny, wrth fy mhenelin yn dweud fod y wraig allan ar y clwt. 'Cywilydd ichi, frawd,' meddai. 'Ewch â hi am dro i rywle.'

'Amhosibl,' meddwn innau, 'Mae gennyf waith am rai oriau eto.'

Y diwedd fu cael caniatâd i Nel ddod i eistedd wrth fy ochr tra copïwn y llawysgrifau. I mi, gwibiai'r amser fel gwennol gwehydd. I Nel druan, bu'r diwrnod fel darn o dragwyddoldeb.

Dyfed Evans: *Bywyd Bob Owen*, 45-47.

Dim Mynediad

Ar Ddydd Gŵyl Banc 1925 – yr oeddwn yn yr Eisteddfod Genedlaethol ym Mhwllheli, ac wedi ymgeisio ar draethawd ar 'Thomas Roberts Llwyn yr Hudol a'i Oes'. Bryd hynny nid oedd Babell Lên mewn bod a chwta ryfeddol fyddai'r beirniadaethau ar y traethodau. Ond er mwyn bod yn y ffrynt, a bod yn sicr o glywed yr hyn a draddodid, prynais docyn drutaf yr Ŵyl.

Deuthum yn gyfartal â Richard Jones, Caernarfon, ac yn lle rhannu £15 rhyngom, argymhellai'r ddau feirniad roi inni £10 yr un. 'Doedd saith bunt a chweugain ddim yn ddigon am ein llafur, meddent. Ond yr oedd yn rhaid i bwyllgor yr eisteddfod drafod mater felly, wrth reswm – a rhaid oedd aros am y dyfarniad. Yn y cyfamser gofynnodd John Ellis Williams, Blaenau Ffestiniog imi fynd efo fo i ryw gyfarfod dan nawdd Urdd Gobaith Cymru.

'Roeddwn wrth y porth gyda ruban enillydd yn

llabed fy nghôt a'm tocyn dosbarth cyntaf yn fy llaw, yn trafod â'r stiwardiaid a fyddai rhyddid imi ddychwelyd i'r pafiliwn, pan afaelodd clamp o blismon yn ddiseremoni iawn yn fy ngwegil a'm bwrw i'r briffordd. Plismon a ddaethai yno o Fanceinion i roi help llaw i heddlu sir Gaernarfon oedd hwn, os gwelwch chi'n dda. Gelwais ef a'i dras yn bob enw.

Ar hynny dywedodd rhywun y gelwid fy enw o'r llwyfan. Yr oedd y pwyllgor wedi penderfynu rhoi'r £2 10s ychwanegol i Richard Jones a minnau, ac yr oedd galwad amdanom i 'mofyn yr arian. Ond ni chawn i roi fy nhroed drwy'r llidiard. 'Roedd y plismon mawr yn benderfynol. Galwn innau'r Saeson yn bopeth gwaethaf y medrwn feddwl amdanynt – a 'doedd hynny fawr o help, reit siŵr! Yn y diwedd, daeth Mr Caradog Evans, yr ysgrifennydd cyffredinol at y porth, a chefais innau ail-fynediad ar fy union.

Ni ddeuthum i wybod paham y trowyd fi i'r ffordd mor ddiswta am ugain mlynedd neu ragor. A dyma ichi'r hyn a ddigwyddasai: John Ellis Williams wedi dweud yn ddistaw wrth y plismon: *'He's a very bad man. Throw him out immediately.'* Gwrandawodd y lleban hwnnw arno – a chafodd y dramodydd o 'Stiniog fodd i fyw!

Dyfed Evans: *Bywyd Bob Owen*, 62-63.

'Cymar y pacad!'

Rhyw fis Ebrill o gymeriad oedd Bob, a haul a
chawod yn agos iawn i'w gilydd. Y dymer fflam,
a'r galon feddal.

Ar dro'r Chwedegau, bu raid arafu ar y
crwydro mawr, a thorri ar nifer y dosbarthiadau
nos. Trwy hynny, gwelodd y byddai cyfle iddo gael
min hwyr gartref yng Nghroesor, peth a fu'n lled
ddiarth iddo gydol y blynyddoedd a fu. Ac meddai
wrthyf un Sul: "Rydw'i am ddŵad i'r seiat Nos
Fawrth – o barch i dy dad a dy fam'. Daeth nos
Fawrth, ond yr oedd Bob ar grwydr yn rhywle.
Daeth y nos Fawrth wedyn, ond dim Bob yn y
seiat. Daeth y drydedd nos Fawrth, a chyn y
cyfarfod, euthum i fyny i'w dŷ yn Ael-y-bryn. Yr
arfer fyddai rhoi cnoc ar y drws, ei agor, a galw
'Oes 'ma bobol?' Yna clywid 'Hel-ô! Hel-ô!' uchel
iawn o un o ystafelloedd y tŷ. Dilynid yr 'Hel-ô'
wedyn i ba stafell bynnag y tarddai'r llais ohoni.
Fe'i cefais y noson honno wrth fwrdd llawn o
bapurau a llyfrau, agored a chaeëdig. 'Roedd Bob
ar ganol tasg ar gyfer rhyw ddarlith, reit siŵr.
Gwelodd ei weinidog yn sefyll yn y drws, a
dechreuodd arni, mewn llais gofidus: 'Dew! Robin!
Noson Seiat! Dew! Fedra'i ddim dwad, achan . . . a
finna wedi gaddo iti . . . Ma'n ddrwg gen-i, ond yli
gwaith sgin-i. 'Drycha GWAITH! Ma' raid imi
orffan hwn heno, a chan . . . a finna wedi gaddo iti

. . . Hwda! cyma' sigaret!'

'Ddim diolch, Bob Owen.'

'Cyma' un!'

'Ddim diolch, rhaid i mi fynd am y seiat; mae hi'n ben set.'

'Hwda!' meddai Bob wedyn, a thaflu pecyn ataf, 'cymar y PACAD! Yn IAWN am mod i'n methu dwad i'r Seiat.'

Pa weinidog sydd, na ddiolchai am aelod mor unplyg onest? Ac felly ymhob rhyw dywydd.

Robin Williams: *Y Tri Bob*, 47.

Porthi Buwch

Erys y broblem o droi'r glaswellt yn llaeth, gan ddefnyddio buwch fel y cyfrwng. Sut y mae gwneud hyn? Y mae dwy brif ffordd –

(a) Mynd â'r fuwch at y glaswellt;
(b) Dod â'r glaswellt at y fuwch.

Yr enw cyffredin ar (a) yw pori. Y fuwch sy'n gwneud hynny, nid chi, ond bydd yn rhaid i chi wneud popeth arall sydd ynglŷn â'r dull hwn. Gedwch inni roi'r peth yn syml. Fel arfer, tyfir y glaswellt mewn cae, sef darn o dir gyda chlawdd neu ffens o'i gwmpas. Dylid hefyd gael adwy i fynd i mewn i'r cae gan fod buwch yn beth trwm i'w godi dros ben clawdd, ac y mae ganddi wrthwynebiad i dringo drosto i'ch plesio chi. Mater arall yw dringo dros ben clawdd i'w phlesio ei hun. Ac yn hyn y mae dechrau eich gofidiau. Un peth yw cael y fuwch i'r cae. Peth arall yw ei chadw yno. Ni waeth pa mor ddrud oedd yr hadau gwair a heuwyd yn y cae hwnnw, bydd y fuwch yn argyhoeddedig fod gwell stwff o lawer yn y cae nesaf. Ofer fydd ichi fynd ar eich pedwar yn y cae a phori tipyn a dweud 'Neis-neis' wrth y fuwch. Y mae straen o anffyddiaeth ym mhob buwch, cyn belled ag y mae coelio dyn yn y cwestiwn beth bynnag. Gan hynny rhaid ichi roi rhwystr effeithiol rhwng y fuwch a'r cae arall. Ffensio neu gau yw'r enw ar hyn. Y mae 'ffensio' hefyd yn air am ymrafael â chleddyfau. Peidiwch â gwneud hynny gyda buwch canys os enillwch ni chewch fawr o bris am y fuwch, ac os colli a wnewch ni rydd neb fawr o bris amdanoch chi. Felly glynwch wrth ystyr amaethyddol y gair 'ffensio'. Ni chewch drafferth i lynu os â gwifren bigog y byddwch yn ffensio, ond stori arall yw honno.

Wedi gofalu nad oes modd i fuwch feidrol fynd o'r cae i gae arall heb eich caniatâd chwi, gollyngwch y gwartheg i'r cae. Ar ôl gorymdeithio o gylch terfynau'r cae i fwrw golwg ar y mannau gwan a'u cadw mewn cof, fe setla'r gwartheg i lawr i geisio twlcio ei gilydd i farwolaeth. Wedi iddynt orffen â'r gorchwyl hwn symudwch y cyrff ymaith. Y mae'n bwysig gwneud hyn gan fod porfa i'w gael oddi tanynt i'r buddugwyr. Yna gadewch weddill y fuches i bori.

Pan ewch i gyrchu'r gwartheg i'w godro fe gewch fod pob un ohonynt wedi diflannu. Na phoenwch canys mater syml yw dod o hyd iddynt. Ewch i'r cae ŷd neu'r cae gwreiddiau a chewch hwy yno. Nid oes angen ichi golli eich tymer. Cofiwch mai gwartheg sydd gennych, nid gwiwerod. Y mae cyffes ffydd buwch yn syml ac fe'i mynegwyd mewn cwpled gan yr Athro W.J. Gruffydd –

Heddiw mae pleser,
Yfory mae nef.

Nid yw yfory byth yn dod yn nhyb buwch, ac felly gwell yw bwyta'r ŷd neu'r rwdin yn ieuanc, a chymryd y gaeaf pan ddaw o. Afradlonedd yw hyn, wrth gwrs, ond cofiwch fod cysylltiad agos rhwng mab afradlon a llo – a rhwng llo a buwch.

Felly peidiwch â gwylltio wrth y gwartheg am dorri allan o'r cae a ddewiswyd gennych chi ac am wneud stomp melltigedig ar eich cnydau. Rheolwch eich tymer a bodlonwch ar erlid y cythreuliaid â phicwarch.

Y mae'r pwnc o bori yn un atgas gennych erbyn

hyn, felly trown at y dull arall o roi glaswellt y tu mewn i fuwch, sef dod â'r peth ati hi yn lle mynd â hi ato fo.

(1)   Gwneud y glaswellt yn wair;
(2)   Gwneud y glaswellt yn silwair;
(3)   Gwneud y glaswellt yn sychwair neu wair rhost.

Nid oes amheuaeth o gwbl nad yr olaf yw'r ffordd orau o ddigon. Y mae'n ddidrafferth iawn hefyd. Nid oes angen ichi wneud dim ond perswadio gŵyr y peiriant sychu i'ch derbyn, a deuant i dorri'r gwair, ei gludo ymaith, ei sychu, a dod ag ef yn ôl, fwy neu lai. Ond cyn gwneud hyn cofiwch geibio eich tir i gyd i geisio cael hyd i drysor ynddo. Oni chewch hyd i drysor amgenach na hen bedolau ceffyl a phowltiau wedi rhydu, ofnaf mai gwell fyddai ichi anghofio am y peth. Hen beth cas yw cael y beili i mewn mor gynnar yn eich gyrfa amaethyddol.

Erys dwy ffordd arall o drin glaswellt, sef gwneud gwair a gwneud silwair. Gwneud gwair yw'r fwyaf cyffredin hyd yn hyn. I wneud gwair rhaid cael gwair, rhywbeth i dorri'r gwair, rhywbeth i drin y gwair, rhywbeth i hel y gwair, rhywbeth i godi'r gwair i'r rhywbeth sydd i gario'r gwair, a rhywbeth i godi'r gwair o'r rhywbeth sy'n cario'r gwair i'w roi yn y peth i gadw'r gwair. Ar ben y cyfan rhaid cael y peth anghyffredin hwnnw a elwir yn Haf. Gan mai hwnnw yw'r peth pwysicaf yn y broses i gyd ceisiaf ei ddisgrifio i chi, modd yr adwaenoch ef os byddwch yn ddigon ffodus i ddod ar ei draws.

Fe ddigwydd yr Haf rywbryd rhwng diwedd mis Mai a diwedd mis Awst. Os bydd i'r haul ymddangos yn ystod y misoedd hyn fe elwir y peth yn 'Haf'. Yr un gair yw hwn â 'Ha' yn 'Ha-ha', canys yn yr Haf y gwelir dyn ar ei wirionaf. Y mae ar ei wirionaf yr adeg honno am ei fod yn credu yn y fath beth â Haf. Mewn gwirionedd rhywbeth yn bod ym mhlentyndod ei nain oedd y peth, fel y tylwyth teg. Peidiwyd â chredu yn y tylwyth teg, ond deil y gred mewn Haf. Y mae hyn i'w briodoli i'r ffaith fod yna werth masnachol i'r Haf i rai pobl, tra nad oes gwerth masnachol i'r tylwyth teg. Pe bai gwerth masnachol yn y rheini, fel sydd yn Santa Clôs, fe ofelid ein bod yn dal i gredu ynddynt. Gwybyddwch felly mai dyfais i werthu siwtiau ymdrochi a pharasôls a mulod yw'r Haf, yn y wlad hon beth bynnag. Os mynnwch fod yn ful eich hun a llyncu'r gred hon ewch ati i wneud gwair a darllenwch sut i wneud hynny yn y bennod a geir yn nes ymlaen yn y llyfr hwn ar drin y tir a thyfu cnydau. Ond peidiwch â rhoi'r bai arnaf fi os na welwch olwg am haul rhwng Glanmai a Gŵyl y Grog.

Os digwydd gwyrth ac i chi lwyddo i wneud

gwair, nid oes angen gwneud dim ond ei roi dan drwyn y fuwch. Fe wna hi'r gweddill, gan gynnwys rhoi ichi eithaf llond gwniadur o laeth. Serch hynny, cofiwch nad trwy ei phwrs a'i thethi y daw'r unig beth defnyddiol allan o fuwch. Peidiwch â bod yn gymaint ffŵl â'r Pwyliad hwnnw a geisiodd ddysgu pob un o'i wartheg i fynd i ben draw'r ardd ar achlysuron arbennig. Nid oedd gymaint â chymaint allan o'i le yn hynny. Y camgymeriad oedd dysgu iddynt dynnu'r tsaen ar ôl gorffen.

Erys y cwestiwn o roi glaswellt i'r fuwch yn y ffurf o silwair. Y mae i'r dull hwn ei fanteision digamsyniol. Gellir crynhoi'r manteision hynny mewn dwy frawddeg. Nid yw'r stori dylwyth teg a elwir yn Haf yn gwbl angenrheidiol i'w wneud. O'i wneud yn iawn y mae'n cynhyrchu rhywbeth a ddaw allan drwy dethi buwch, yn hytrach na thrwy unrhyw sianelau eraill a berthyn i'r hen chwaer. Cewch gyfarwyddyd sut i'w wneud yn nes ymlaen. Ar hyn o bryd y cyfan sydd angen imi ei ddweud yw sut i'w roi i'r fuwch. Y mae hynny'n syml. Rhowch ef i'r fuwch arall i ddechrau. Y mae hynny'n sicrhau dau beth. Cewch weld pa mor anhygoel o hir, hyd yn oed i fenyw, yw tafod buwch. Yn ail, dyma'r unig ffordd i argyhoeddi buwch fod y stwff yn werth ei gael. Os rhoddwch ef yn uniongyrchol iddi hi fe edrych arno fel petai'n drewi. O'i roi i'r fuwch arall fe'i llarpai er gwaethaf y ffaith ei fod yn drewi. Cyn chwerthin am ben y fuwch, cofiwch mai'r un egwyddor sy'n gwerthu'r rhan fwyaf o bethau o gaws gorgonzola i hetiau merched.

Harri Gwynn: *Y Fuwch a'i Chynffon* (arg. 1993), 47-50.

Dechrau byw

Derbyniwyd Tomos i'r byd helbulus hwn gan ddwylo craciog Mari'r Cnwc ar nos Ffair Garon 1892. Hi hefyd a welodd y llygaid gleision a awgrymai iddi pwy ydoedd tad y diniwed yn ei gadachau ar waelod y gwely. Sychodd Mari ei breichiau â'i ffedog.

'Hy! Yr un boerad ag e'.' Ond ni chlywodd Sara. Meddyliai am y ffair. Lawer gwaith ar ôl hyn danodwyd i Tomos mai o'i achos ef y collodd hi'r ffair am yr unig dro yn ei bywyd. Pe bai wedi aros am ddiwrnod arall byddai record Sara Nant Gors Ddu yn gyflawn, mor bell ag yr oedd Ffair Garon yn y cwestiwn.

Gan nad oedd ei fam yn briod, a bod honno wedi byw gyda'i mam ddi-briod cafodd Tomos ei fagu gan ei fam-gu ar faldod a bara-te. Mae rhagor rhwng bara-te a bara-te mewn gogoniant.

Yr oedd bron yn chwech oed cyn iddo gael ei wisgo mewn dillad bachgen. Cafodd wybod hynny dros ffens y ffin yn ddiweddarach yn ei fywyd, ond nid arno ef oedd y bai am y defaid strae na'r dillad merchetaidd. Cyfyd ffrae bethau rhyfedd o is-ymwybod y werin.

Un o orchestion mawr dyddiau ei fabandod oedd gollwng y llo gwyn allan o'r beudy un prynhawn Sul niwlog o haf, pan oedd pawb yn y capel ond ef a'i fam-gu a'r Pagan. Pan aeth yr hen wraig i geisio help y Pagan aeth Tomos hefyd i'r niwl i chwilio am y llo. Ar ôl dod o hyd i'r pechaduriaid ddwyawr yn ddiweddarach ym mheryglon y Gors llefarodd hen wraig Nant Gors Ddu y frawddeg glasurol honno a arhosodd yn hir ar dafodau ffraeth pobl yr ymylon: 'Fe ddefnyddiodd y Brenin Mawr y pagan digapel i achub plentyn ac anifail'. Methodd Daniel y Crydd, y pen-ysgrythurwr, duwiol ei draed a'i galon, wadu'r ffaith honno. Ni soniai esboniad Jams Huws am enghraifft felly.

Trwy ganiatâd ei fam a'i fam-gu a llythyrau ymbilgar y Sgwl Bôrd cafodd Tomos fynd i'r ysgol cyn ei fod yn ddeg oed. Ar ôl tair blynedd fratiog o lanhau'r blacbord, mynd a llythyrau 'Mistir' i'r post, a thri mis o fronceitis, gwelwyd na ellid gwneud pregethwr ohono, a daeth adref i aros.

Ond wrth ddarllen penodau o'r Beibl bob yn ail adnod â'i fam-gu, daeth i adnabod Abram, Isaac a Jacob. Dechreuodd grwydro i'r Banc i bregethu i'r defaid a'r adar a chyn gwerthu'r fuwch er mwyn iddo gael arian i fynd i Ysgol Caerfyrddin bu farw'r hen wraig, ac ni fedrai Tomos feddwl am adael ei fam wrth ei hunan yn Nant Gors Ddu. Tystiai Mr Ifans y gweinidog mai trefn Rhagluniaeth oedd hyn. Derbyniwyd yr awgrym yn ddifrifol o ddiwenwyn gan Biwritaniaid y fro, o barch i'r Achos Mawr. Ni chwarddodd neb.

* * *

Ar yr un dydd ag y gollyngodd Tomos y llo gwyn i benbleth y niwl yr oedd Marged yn y fasged wellt o dan lun Fictoria ar aelwyd Pencwm Bach, yn cael ei magu ar laeth y fuwch a dŵr greip. O bibellaid i bibellaid hamddenol breuddwydiai ei thad amdani yn priodi cyfreithiwr, gan fod ei feddyliau yn llawn o gymdogion amheus. Gwell gan Hanna Pencwm Bach weld ei merch yn priodi pregethwr – ond iddo beidio bod yn bregethwr Baptus, oblegid nid oedd yn y dyddiau hynny gyfathrach agos iawn rhwng canlynwyr Ioan Fedyddiwr a chanlynwyr John Calfin.

Pan oedd Marged rhwng wyth a naw oed daeth y Diwygiad heibio fel awel gref, ac fe aeth ei thad i sylweddoli na fyddai gwaith i gyfreithiwr mwyach. Felly pregethwr amdani, gan ymddiddori mwy yn y *Goleuad*. Ond gyda'r blynyddoedd aeth y Diwygiad yn hen a dechreuodd y mamau tirion fygwth y Kaiser ar y plant drygionus. Erbyn hyn Lloyd George ac nid Ifan Roberts oedd yn cael y cynulleidfaoedd mawrion. Am bedair blynedd hir cafodd Sara Nant Gors Ddu y riwmatic ac arbedwyd Tomos rhag croesi'r môr i Ffrainc. Dywedwyd pethau cas wrtho yn ystod y blynyddoedd hynny ond dioddefodd yntau ei ferthyrdod yn dawel am fod cariad mam yn eli ar friwiau.

Ar ddydd Ffair Garon 1921 dathlodd Tomos ei

ben blwydd yn naw ar hugain oed trwy fynd i'r ffair heb ei fam. Dyna'r noson y cyfarfu yn swyddogol â Marged. Yr oedd yn hanner awr wedi naw arno yn cyrraedd adref.

Cyn pen pedair awr ar ddeg yr oedd Ianto'r Post yn hau'r stori ar ei rownd. Y diwrnod hwnnw gofalodd Ianto fod ganddo gatalog i bob tŷ di-lythyr. Cedwid y catalogiau erbyn dydd y sgandal.

Am ddyddiau, wythnosau a misoedd bu Tomos yn meddwl ac yn breuddwydio am Marged, gan edrych ymlaen am ddydd yr ailgyfarfyddiad yn Ffair Gyflogi Aberystwyth ym mis Tachwedd yn ôl y trefniadau llipa. Aeth y gwanwyn yn haf heb fodd i gyfarfod gan na fyddai cariadon yn cydgerdded yng ngolau dydd y dwthwn hwnnw. Beth oedd wyth mis o ddisgwyl i grwt diniwed? Daeth dydd Ffair Calangaeaf a chyfarfu Tomos a Marged yn ymyl y Cloc Mawr. Yr oedd y ddau yno hanner awr cyn yr amser. Dyna brawf pendant eu bod wedi cael y clefyd.

Yn ôl arferiad bechgyn y wlad rhoddodd Tomos ei fraich am war Marged a'i harwain at wallgofrwydd y ceffylau bach. Bu'r ddau yn aros am hydredd yn yr hanner tywyllwch gan ddisgwyl i'r diacon olaf droi ei gefn ar wlad y moch a'r cibau. Yna bu bywyd yn wynfyd.

Rhwng popeth fe gostiodd y nos wyllt bedwar a chwech i'r cariad dihidio. Pan roddodd ei fam goron iddo i fynd i'r ffair fe ofalodd hefyd roi amod bendant: 'Cofia di ddod â newid 'nôl.' Ac erbyn bore trannoeth nid oedd gan Tomos ond dau bisyn tair a dim i'w ddangos ond ei gariad at Marged. Yr un bore hefyd teimlai fel ymladd hyd Angau drosti pe bai raid. Daeth llawer o wrthwynebwyr digon diniwed i gythryblu ei feddyliau.

Synnodd Sara Nant Gors Ddu wrth weld y ddau bisyn tair yn syllu yn euog arni wrth dalcen y cloc ar y mantlpïs a phenderfynodd roi gwers ar Ddarbodaeth i'r deg ar hugain oed. Ond 'chafodd hi ddim cyfle. Safodd Tomos rhyngddi a drws y parlwr i draddodi anerchiad mwyaf heriol ei fywyd. Anerchiad o un frawddeg dyngedfennol.

'Mam,' meddai, a goleuni byd arall yn ei lygaid, 'mae menyw gen' i.'

Cerddodd allan i'r ydlan gan synnu ei fod wedi cael nerth i lefaru. Edrychodd draw ymhell i gyfeiriad Pencwm Bach. Gwelai fwg yn codi o'r simnai yn haul y bore. Lled debyg mai Marged oedd wedi cynnau'r tân. Gwyddai ef ei bod hi wedi ennyn tân yn ei galon ac na fyddai diffodd ar y fflam honno. Un fel'na yw cariad.

Eisteddodd Sara fel sach o datws ar sgiw yr achau. Syfrdanwyd hi gan y newydd. Tomos yn caru. Syllodd i wyneb Christmas Ifans rhwng y wermwd lwyd ac almanac 'J. Jones and Sons'. Ni fedrai hwnnw wneud dim, un llygad oedd ganddo. Yr oedd rhywbeth yn stori Ffair Garon. Beth oedd ar y crwt? Dim ond deg ar hugain. Ar beth yr oedd yn mynd i briodi. Steil a dim stad. Ac yn beiddio mynd gyda Methodus.

Pan ddaeth Tomos i'r tŷ at ei ginio ni ddywedodd yr un ohonynt air wrth y llall. Gallai'r gath deimlo'r tyndra yn awyrgylch y gegin a chiliodd allan i'r llofft stabl. Bwytaodd y ddau yn y distawrwydd llethol fel pe bai yn ginio diwrnod angladd.

Ar ôl swper, yr un diwrnod, fe wnaeth Tomos beth anarferol. Fe aeth i ymolchi er nad oedd wedi bod yn trafod *basic slag*. Yna, aeth i'r llofft i newid ei ddillad. Daeth i lawr i'r gegin gan esgus twymo ei draed ar y stragen. Ar ôl tragwyddoldeb o ddisgwyl tarawodd y cloc wyth. Golygai hyn ei bod yn saith o'r gloch. Yna torrodd y llais dros y gegin megis ymbil rhywun ar fin boddi:

'Ble rwyt ti'n mynd Tomos?'

'I weld Marged.'

'Methodus.'

'Mae cariad yn fwy nag enwad mam.'

'Wyt ti'n ymswyn beth wyt ti'n ddweud?'

Winciodd Christmas Ifans arni. Gwisgodd Tomos ei sgidiau dal adar. Caeodd y drws yn glep ar ei ôl. Aeth yr hen wraig i sterics.

Cyn i Sara ddod ati hi ei hun daeth Leisa Gors Fach heibio. Gwthiodd ei thrwyn busneslyd o ffrâm ei siôl ddu heibio i dalcen y palis.

'Ble ma' Tomos?' (Fe wyddai yn iawn.)

'Dere mla'n Leisa.'

'Fuodd e' yn y ffair neithiwr?' (Fe wyddai hynny hefyd.)

'Hel y gath 'na o'r sgiw.'

'Pryd daeth e' adre o'r ffair?'

'Gad i fi roi tipyn o fawn ar y tân.'

'Odi'r hen stori 'ma yn wir Sara? Methodus iefe?'

Diflannodd Sara i'r eil i chwilio am y bwced mawn a gras y Nef. Gwyddai fod croesholi arteithiol yn ei haros, a bod yr hadau a heuid ar aelwyd Nant Gors Ddu i dyfu trannoeth yn wenith ac efrau ar dafodau'r cymdogion.

Yr oedd Tomos wedi torri'r llinyn a'i clymodd cyhyd wrth ffedog ei fam. Nid oedd ond un yn cyfrif mwyach, a Marged oedd honno. Yng ngolau'r lleuad gwelodd hi yn disgwyl amdano yn ymyl y das fawn. Claddodd ei enwadaeth yn ei breichiau cryfion. Beth pe gwyddai'r diaconiaid ac yntau wedi bod yn darllen pennod yn y Cwrdd Gweddi nos Lun? A'r dyddiau hynny awgrymid mewn cyfeillachau dirgel y gellid edrych ymlaen yn hyderus am briodas cotiau-mawr. Onid oedd gwaed y ceiliog yn y cyw?

W.J. Gruffydd: *Tomos a Marged*, 11-16.

Yn yr ardd

Ar ôl dychwelyd i Fôn ar ôl y Rhyfel Mawr, cafodd Ifan Gruffydd, y Gŵr o Baradwys, waith fel garddwr ym Mhlas Trescawen, 'sedd y Ciaptan a Mrs Pritchard Rayner, neu Gerald a Mary, fel y'u gelwid gennym weithiau' . . .

Mae'n debyg mai am yr ardd y dylwn i sôn yn gyntaf hefyd, am mai yno yr oeddwn am y rhan fwyaf o'r amser. Gŵr o'r enw Mr Bott oedd y pen garddwr, ac fe gafodd Owen Roberts, Coedana, a minnau lawer o ddysg mewn garddwriaeth tra'n gweithio o dano – digon, beth bynnag, i fedru troi ein llaw ati o hyd a phrofi ein prentisiaeth. Cofio enwau pethau oedd yn anodd ar y dechrau, ac onibai i Owen Roberts fy nghymryd am wythnosau yn ystod yr awr ginio bob dydd i fynd drwy y tai gwydr a'r borderi a'u dysgu imi ar dafod leferydd, mae'n debyg na fuaswn i byth wedi eu meistroli. Yn wir, nid hawdd i brentis oedd ynganu geiriau fel 'Abutilon Mega-potamicum', 'Acantholimon glumaceum' ac 'Acidanera bicolor Murielæ'. Yr oedd gwybod enwau yn dra phwysig rhag digwydd i un fradychu anwybodaeth mewn cwmni o arddwyr ryw dro, 'run fath â'r boi hwnnw o'r plwyf agosaf atom a geisiodd ddangos ei wybodaeth i ŵr dieithr drwy fyrlymu ri-bi-di-res o enwau'r blodau a ddangosai iddo wrth fynd drwy'r ardd, nes blino'r ymwelydd braidd. Er mwyn torri ar y llifeiriant di-hysbydd, trodd y gŵr a gofyn iddo, 'Ydi'r planhigyn hwnnw, "Delerium Tremens" gynnoch chi yma?' 'Nag ydi eto, ond mi 'rydan ni yn mynd i'w gael o,' oedd yr ateb parod a gafodd.

Gan fod Mr Bott yn gyfrifol am gyflenwad o flodau a ffrwythau a llysiau i addurno'r tŷ a bwydo pawb oedd yno, 'roedd yn rhaid inni weithio'n galed a meddwl fisoedd ymlaen llaw wrth hau a phlannu, a pheth cas i'r pen garddwr oedd cymryd neb oddi arno i fyned i wneud rhywbeth arall, a chymaint i'w wneud yn yr ardd, ond felly 'roedd hi, ac ni ellid newid y drefn.

Myfi fyddai'r un i fynd yn ddieithriad bron, ac yn wir ni fyddwn yn gwarafun ryw lawer, yr oedd newid gwaith gystal â gorffwys yn aml, yn enwedig pan ddôi John Wilias, y Saer, i chwilio amdanaf, oherwydd ei fod o yn hen ŵr mor ddiri-dano i weithio gydag ef, a chyda hynny, cawn gymaint o gysur wrth ei glywed yn siarad Saesneg pan ddôi Mrs Rayner heibio inni. Nid oedd ball arno i siarad, pa mor drwsgl bynnag yr iaith. Cofiaf yn dda iawn y diwrnod hwnnw pan oeddem yn rhoi cortyn newydd mewn ffenestr, i Mary ddod atom â llythyr yn ei llaw wedi ei gyfeirio i hen was iddi oedd yn ymgeisydd am swydd cipar yn Gerddinog, Llanfairfechan. 'John Williams.' 'Yes, Ma'am?' 'Will you take this letter to John Jones,

Tŷ'n Lôn, when you go to dinner. I think its from Gerddinog'. 'Yes, Ma'am.' Deallais pan ddaeth yn ôl o'i ginio mai gofyn am fanylion parthed oed a thaldra John Jones yr oedd y llythyr, a phan ddaeth y Feistres heibio drachefn yn y prynhawn, gofynnodd, 'Wel, John Williams, what was in the letter?' Wedi ymsythu a thaflu ei ysgwyddau 'nôl, atebodd John, 'Wel, ma'am, they want to know the length of it, and the day of his born.'

Yr oedd gan Mary gryn feddwl o John Wilias am ei fod mor ufudd ac mor barod i ymgymryd â phob gwaith, boed lân, boed fudr, ac, yn wir, gallai'r hen John wneud golwg mawr arno'i hun wrth weithio. Ond ni phoenai hynny ddim arno pan glywai ei feistres yn dweud, 'Poor John Williams, he's working so hard.' Un ffeind efo'r cŵn bach oedd John Wilias, ac 'roedd hynny yn bwysicach na dim – y rheini oedd agosaf at ei chalon o bawb a phopeth yn y byd – ei phlant oeddynt, a chawsant gnoi godre trowsus John Wilias yn gwbl ddigerydd os oeddynt yn mwynhau eu hunain felly.

Y cŵn cyntaf i mi eu cofio ganddi oedd 'Rags' a 'Tatters' wrth eu henwau, ac ar ôl y rheini, 'Chees Lil' a 'Squeaky', ac yn ddiweddarach, 'Gwynt Bach' a 'Dick'. Fel yr oedd y cŵn yn heneiddio ac yn marw, cleddid hwy yn barchus mewn mynwent hardd a oedd ar fin y ffordd i'r ardd, a'r llechau coffa yn rhes hir fel 'Byddin o gerrig beddau', ys dywedodd Brithdir.

Diwrnod mawr oedd diwrnod claddu ci. Ychydig cyn yr awr benodedig i gludo'r anwesyn i'r gladdfa, caech weld y saer yn y gweithdy yn synfyfyrio uwchben yr arch wyneb agored, a minnau gyferbyn ag ef yn rhinwedd fy swydd fel cludwr a chlochydd. Disgwyl y byddem am y fam brofedigaethus a ddeuai i gael yr olwg olaf cyn i'r saer sgriwio i fyny. Edrychai'n ddwys a deigryn ar ei grudd gan ysgwyd ei phen a dweud bob tro yr un peth, 'Pity, isn't it, John Williams?' Atebai yntau dan deimlad, 'Yes, ma'am, grêt pity.' Yna yn ôl â hi i'r tŷ i sefyll wrth y ffenestr fawr, er mwyn medru gweld John a minnau yn cludo'r trancedig i'w wely olaf. Cerddem yn drwm ac yn araf â'n golygon tua'r ddaear nes mynd heibio'r drofa gerllaw y bont goch at y fynwent, pan ddywedai John, 'G'na dwll yn o sydyn, ma' arna'i isio mynd i Langefni heno.'

Bûm yn labrwr i John Wilias filoedd o weithiau yn ystod y deuddeng mlynedd a dreuliais yn Nhrescawen. Cawn fy ngalw bob tro y byddai'n rhaid cael dau at rywbeth – ail agor traen, er enghraifft, neu chwilio am ryw ddrwg mewn pibell neu gwter, a phob ryw waith a fyddai'n anodd i un fedru ei wneud. Os oedd yn waith budr a'r arogl yn anhyfryd, yr oedd diferyn o chwisgi i'w gael cyn dechrau, a phe digwyddai i Gerald a Mary anghofio am hynny ni fyddai'r saer yn hir heb yrru'r neges adra. Yna fe'n gelwid i bantri'r bwtler i dderbyn ein dogn o'r gorau yno.

Wrth gwrs, yr oedd yn rhaid gwenieithu dipyn i'r bwtler, yn enwedig os oedd o natur gynnil, a dechreuai John Wilias arni yn ei ffordd ddeheuig ei hun fel yr oedd yntau yn estyn y botel: ''Wyddoch chi be', ma' rwbath yn oer yni hi heddiw, Jôs.' 'Oes braidd, wir.' 'Diar, ma Ifan a finna mewn lle ofnadwy.' 'Tewch, John Wilias.' 'Ma'r ogla'n ddigon â'ch taro chi lawr, fachgan.' 'Diar mi.' 'Mi ellwch roi mymryn mwy o osgo yn y botel 'na wir, mi fydd yn dda inni wrtho fo, Jôs bach.' Pa un bynnag â roddid mwy o osgo yn y botel ai peidio, yr oedd diferyn dros y galon yn lles na choeliech chi byth, meddai John Wilias, ac mi allaf innau ddweud Amen, a bod yn onest.

Fel y mwyafrif o'r palasau, nid oedd prinder diod o gwbl. Pe bai digwydd i silff y bwtler fynd yn sych, yr oedd digon i syrthio'n ôl arno yn y selar, lle 'roedd rhes o farilau braf a digon o ddewis, hyd nes i'r amgylchiadau ddyfod yn gyfryw nes cyfyngu llawer ar foethau'r bendefigaeth.

Cafodd Mrs Rayner yr hyn a alwai hi ei hun yn 'brain wave' un diwrnod pan orchmynnodd i John Wilias lifio'r hen farilau yn haneri a'u gwneud yn dybiau i dyfu blodau ynddynt. Ond nid heb eu harchwilio'n fanwl y gwnaeth efe hynny, a chanfod fod ynddynt weddill sylweddol iawn o'r gwahanol ddiodydd oedd wedi bod yno beth bynnag bedwar ugain mlynedd. Ni bu John Wilias, o'r ochr arall, heb gael digon o 'brain wave' i beidio â thywallt stwff da felly i'r gwter. Pan gefais i fy ngyrru o'r ardd i'r gweithdy i nôl hoelion ymhen ychydig ddyddiau, fe welwn y storfa ddiod ar silff uwchben y fainc mewn potiau jam a thuniau samon yn rhes hir o un pen i'r llall. Cynigiodd ddiferyn i minnau, fel un o'i gyfeillion agosaf, chwarae teg iddo, o'r stwff na ellid ei brynu am unrhyw arian, meddai ef, oherwydd y cadw fu arno. Aeth si ar led mewn ychydig amser ei bod yn werth galw yn y gweithdy i bwy bynnag oedd ar delerau da â John Wilias, ac fe aeth dipyn o hynny ymlaen yn gyfrinachol, hyd nes i Mr Connolly glywed, a rhybuddiodd ef y rhai oedd yn flaenllaw gyda'r achos mawr, 'I shall report you people to the deacons of your chapels.'

Aeth hynny heibio fel popeth arall, ac yn angof, maes o law, nes i Owen Jôs, y Coitsmon, wrth fynd heibio un dydd, weld John Wilias yn tynnu ei ddillad wrth ochr cafn bwydo gwartheg. Yn ei syndod gofynnodd, 'Wel, brenin fo'm gwared, be' 'da chi'n neud, ddyn?' Trodd John ato'n fygythiol, 'Wel, mynd i ngwely, debyg, be' 'da chi'n feddwl 'dwi'n neud.'

Hen goitsmon a hen fwtler hefyd oedd Owen Jôs, a drowyd allan ers rhai blynyddoedd ar gyfrif ei oed a'i gloffni, i lanhau'r dreif a thorri gwrychoedd. Ond byddai yn dda wrtho yntau ar brydiau pan fyddai bwtler wedi digwydd torri ei

dymor, a gelwid ef yn ôl i'r tŷ yn fynych at ei
briodwaith, er dychryn ag ofn i'r morynion,
oherwydd ei dymer wyllt ac aflednais. Er mai gŵr
calon feddal ydoedd yn y gwraidd, yr oedd ei
eiriau yn dra miniog.

Wrth fy mod i yn aros yno'r nos mewn darn o'r
hen blas, awn i bantri'r bwtler ar hirnosau'r gaeaf i
helpu Owen Jôs, a 'doedd unpeth yn ei blesio'n
fwy. Fy ngwaith i oedd golchi'r llestri arian fel y
deuai ef â hwy o'r ystafell fwyta, ac yn wir,
byddwn yn gwneud yn dda ar weddillion y
bwytawyr. Gan fod cryn hanner dwsin o gyrsiau i'r
ciniawau, byddai'n rhaid i'r hen ŵr, er gwaethaf ei
gryd-cymalau, gerdded yn ôl a blaen o'r gegin i'r
deinin rŵm am oddeutu awr a hanner cyn gorffen
o'r pryd pwysig hwnnw. Byddaf yn dychmygu fy
mod yn ei weld weithiau yn mynd, gan roi ambell
i reg wrth basio drws y pantri, ag un law ar y glun
gloff ac yn cario'r tre yn y llall. Y cwc oedd yn
gyfrifol am roi popeth yn barod ac yn eu trefn ar
fwrdd y gegin iddo, a chofiaf yn dda iawn y noson
honno pan gymerodd yr hambwrdd agosaf i'w
law, a mynd i'r deinin rŵm yn wyllt, nid gyda'r
'cold pheasant', fel ag oedd i fod y noson honno,
ond lobstar – a oedd i ddod yn ddiweddarach.
Trodd yn ôl mor sydyn, wedi anghofio'r cwbl am y
cryd-cymala, a syrthio ar ei hyd wrth ddrws y
pantri. Yr ateb a gefais pan blygais uwch ei ben a
gofyn a oedd wedi brifo, oedd 'Estynnwch y

ffesant uffar 'na imi.'

Ifan Gruffydd: *Gŵr o Baradwys*, 154-159.

Gneud Plwm Pwdin

(Stori yn Nhafodiaith Cylch Llandysul)

Fuodd Mari 'co yn gneud Plwm Pwdin wthnos ddwetha, a na chi'r helger rhifedda weles i ariod. Mae 'run peth stil, wrth gwrs, ond leni odd hi'n wath bith. Y peth cinta sy'n digwydd bob blwyddyn yw colli'r resipi, a 'na lle bidd hi'n whilo a twmlo, lan a lawr, 'nôl a mlân, miwn a mas. Ond fidd ddim sinc amdano fe, a ma raid i gâl e, achos, allwch chi neud rhwbeth bach fel bara wan-tw heb resipi, ond am beth mowr fel plwm pwdin, allwch chi bith neud e mas o'ch meddwl.

Yn y diwedd ta beth, ma raid iddi find i weld Mrs Heiphen-Jones, cadeirydd y Wimens Bechingalw, achos ma llifir mowr gida hi ar y pethe hin. Wedi jimo tipin, gwisgo hat a plifen a rhoi jilings a miwglis obiti gwddwg, mae'n gwisgo danne dodi, a off â hi. Dim ond at dri peth ma Mari'n gwisgo danne dodi, lwchi, – angladde, cwrdde diolchgarwch a mind i weld Mrs Heiphen-Jones. Seisnes yw honno, chi'n diall, a ma Mari'n ffeindo fod danne dodi'n help i siarad Sisneg.

Ond dyna sy'n afi obiti 'ddi, wedi câl y resipi, ma shwt bethe rhifedd yndo fe. Jil o un peth a desert spŵn o rwbeth arall, a rhiw hen gomadiwe felna. Ma hinni'n ôl reit i wirbyddigions, ond dim ond llwye powtir, lletwate a basnis sy gida ni at fesur yn y pantri 'co, a dyna Mari mewn picil ar unwaith. Ond whare teg iddi, mae'n galler geso'n weddol gowir. A fydde'i ddim gwell o fesur a phwyso, achos fe fydde rhai o'r plant 'co shŵr o sgwlcan rhwbeth, a dinna chi man a man a shanco wedin. A felni oedd hi leni; gorffod i fi roi whirell wrth fôn clust Shincin y crwt lleia, achos dyna lle'r oedd e'n bochio a chonio yn y cwdin cyrens fel mochin heb i wirso.

Nawr wi'n lico'm bach o roch miwn plwm pwdin. Rhiw flas bach i gidjo yn y nhafod i, a ma Mari'n diall y ngwendid i gistled â neb. A wedi cimisgi'r cwbwl yn y basn llath enwyn, mae'n rhoi tipin bach o esens o rym ar ben y bechingalw i gyd, ichi'n gweld. Dim ond un dropin bach sy ise, achos mae e'n stwff mor gryf. Wel, leni pan odd Mari wedi tinni'r corcin mas, dyna'r drws yn agor a phen Mr Jones yn prigethwr yn dod i'r golwg. Fe gas Mari shwt start nes cwmpodd y botel glwriwns lawr i'r basn pwdin, a na chi'r smel rhifedda glwes i ariod. Odd e'n dod yn donne mowr dros y gegin i gyd, nes gallech chi digni'ch bo' chi yng nghanol briweri fawr. Fe ath Mr Jones yn win reit, a feddylies i am funud fod e'n mind i ffeinto, achos mae e'n ddirwestwr selog.

Ta beth, fe isteddodd lawr o'r diwedd, a fe danes i mhib ar unwaith a treio whwthi mwg i wmed e yn ddistaw bach i gadw'r smel bant. A trw buo ni'n sharad biti'r tewy a phopeth, odd Mari wrthi fel dou i dreio câl yr hen beth miwn i'r basnis a mas o'r golwg. A felny buodd hi; fe rwymodd nhw lan mewn cymin o sachabwndi a alle hi, a miwn â nhw i'r dŵr dros i penne. Odd smel wedin, ond fe ath Jones whap, a dyna beth odd gwaredigaeth. Rhwng mwg a smel odd y gegin erbyn hin fel gwaith côl-tar yn gwmws.

Ond dyna fe, ma'r pwdin yn barod ta beth; wn i ddim shwt flas fydd arno fe. Dyna'r gweitha o fyw mewn hen dŷ a drws y ffrynt yn y bac – ma dynion yn dod ar ych traws chi cyn rho gwbod i chi. Odd Mr Jones ddim fod yn y resipi, ond odd i flas e ar y plwm pwdin leni wi'n shŵr o hinni.

D. Jacob Davies: *Plwm Pwdin a Rhagor o Storïau Digrif.*

Waldo a'r lamp

Roedd Waldo ar gefn ei feic yn Iwerddon ac ar ei ffordd i'r gorllewin eithaf ar noson o haf pan feddyliodd y gallai fod yn nos cyn iddo gyrraedd pen ei daith. Stopiodd mewn pentref ac aeth i mewn i siop fach oedd yn gwerthu popeth a gofynnodd i'r siopwr a oedd ganddo lamp beic.

Oedd, atebodd y siopwr ond mynnodd nad oedd angen y lamp ar Waldo gan nad oedd yn mynd yn nos o gwbwl bron yr amser hwnnw o'r flwyddyn.

Atebodd Waldo ei fod yn sylweddoli ei bod hi'n braf, ond os nad oedd gwahaniaeth gan y siopwr, fe hoffai e brynu'r lamp yr un fath.

Na, doedd dim o'i hangen arno, pwysleisiodd y siopwr. Bu'n daeru hir rhyngddynt ac ar ôl i'r ddadl goleuni/diffyg goleuni fethu, trodd Waldo at resymeg gwahanol:

'If I want the lamp, I don't see why I can't buy it.'

Ateb y Gwyddel oedd na fyddai'n iawn i siopwr onest werthu rhywbeth iddo nad oedd arno ei wir angen. A gadael y siop heb y lamp fu hanes Waldo yn y diwedd.

Myrddin ap Dafydd (gol.): *Hiwmor Iwerddon*, 61-62.

Y man gwan

A ma hen ddywediad i gal, fel o'n i'n gweud, Os wyt ti byth mewn trwbwl, tria ddod mas ohoni. A wi'n cofio'r tro cynta i fi fod mewn trwbwl, a dod mas ohoni'n iawn. Wrth gwrs, efalle 'mod i wedi bod mewn llawer i drwbwl cyn hynny, ond heb sylweddoli 'mod i'n dod mas ohoni. Ond wi'n cofio'r tro arbennig yma, pan o'n i'n grwt ar fin gadael ysgol. Twm 'y nghyfell a finne, unwaith eto, wedi prynu fferet am bobo goron, a mynd i ffereta. Ond o'dd rhaid potshan tipyn – o'n ni ddim yn câl caniatâd pawb y'ch chi'n gweld. Ro'n ni nawr yn dod nôl dros rhyw fanc yng nghyffinie Llannarth, a phwy o'dd yn dod i'n cwrdd ni, ond y ffarmwr, ac o'n i'n teimlo fod y dyn yn grac, ac yn gas. Ro'dd fferet yn y 'mhoced, a'r rhwydi a'r pethe, a dyma'r ffarmwr yn dod lan aton ni yn gas iawn, a dweud ein bod ni'n tresbasu ar 'i dir e. A dyma fi nawr yn dod mas o'r trwbwl o'n i ynddo fe yntefe.

'Wir Mr Defis bach,' dyma fi'n dweud 'tho fe, 'mae'n ddrwg calon gyda ni ein bod ni wedi gwneud y fath beth â hyn, wa'th o'n i'n gweud 'tho Twm, 'Weli di'r cloddie 'ma – ma grân ar y cyfan. Nid cloddie ffarmwr arall yw'r rhain. Weli di'r cloddie ma'n gymen, a'r caëe a'r cyfan yn iawn? Y'n ni ar dir rong siŵr o fod. Wa'th dyn digon didoreth o'dd y dyn bia'r ffarm lle cawson ni ganiatâd. Tir Mr Defis yw hwn yn siŵr i ti.'

73

'Cariwch mlân bois bach,' wedodd y ffarmwr wrthon ni. 'Fferetwch faint a fynnoch chi.'

O'n i wedi cwrdd â'i fan gwan e.

Eirwyn Jones (Pontshân): *Hyfryd Iawn*, 15.

Rhy fach

Wedi treulio blynydde fel prentis sâr, mi ges brofiad o'r newydd, a chyfle eto i ymarfer 'y nhunan yng nghwmni gwahanol gymeriade, wrth fynd lawr i Dre Cŵn i weithio. Y *National Service Officer* o'dd yn hala bobol i Dre Cŵn er mwyn gwneud rhyw waith mawr adeg y rhyfel. Ro'n nhw'n dod o amrywiaeth o ardaloedd, yn Gymry Cymraeg, a'r straeon a'r chwedle i gyd ar 'u cof nhw.

A wi'n cofio mynd i'r hen gantîn i wrando ar rai yn dweud 'u profiade a'u chwedle. Mi fydden nhw'n sôn llawer am y cyfnod pan o'n nhw'n ifanc, a r'odd un ohonyn nhw nawr yn sôn am yr adeg pan oedd taniard – y lle ble o'n nhw'n gwneud lleder – ym mhob pentre.

Fe drigodd rhyw lo bach gyda rhyw ffarmwr, ac fe flingodd y ffarmwr y llo bach, a mynd ag e, yn ôl yr arfer, i'r taniard.

'Wel bachgen, mae'n rhy fach achan!' medde dyn y taniard pan welodd e'r croen.

'A 'na beth od,' medde'r ffarmwr, 'o'dd e'n
ffito'n nêt am y llo hefyd.'

Eirwyn Jones (Pontshân): *Hyfryd Iawn*, 24-25.

Y ras

Rwy'n cofio un cymeriad yn sôn am dro rhyfedd
iawn a gafodd e. Ro'dd e wedi mynd i Lawaden i
brynu moto beic. Fe brynodd e un, ac ar y ffordd
nôl adre, yng Nghlunderwen, mi welodd e dyrfa o
bobol yn y cae fan'ny. A'th e mewn i'r cae, a beth
o'dd mlân ond rasus ceffyle. Ac o'dd ras ar
gychwyn, ac o'n nhw'n brin o joci. O'dd rhywbeth
wedi digwydd i'r joci o'dd fod reido'r poni bach
'ma. Wel fe welodd y dyn o'dd yng ngofal y ras
ddefnydd joci yn y cymeriad 'ma, ac fe ofynnodd e
iddo fe reido'r poni bach 'ma. Fuodd e eriôd ar
gefen poni o'r blân, ond meddyliodd e y galle fe
reido'r poni bach hyn, oherwydd o'dd e'n un
boliog iawn. O'dd bola mawr 'da'r poni bach: rodd
e'n edrych yn rhy stiff ac yn rhy dew i fynd yn
gyflym iawn, a dyma'r boi 'ma ar gefen y poni.
Dyma ergyd y gwn, a dyma'r poni bach yn
carlamu mâs ar y blân. Edrychodd y boi nôl: ro'dd
y ponis erill nôl fan draw rhywle. A'th e o amgylch
y cae un waith, ddwywaith, a'r trydydd tro rownd
y cwrs, mi welodd e'r *winning-post* fan draw. Ma'r

poni bach yn mynd i ennill, meddyliodd e. Ro'dd e'n gwneud campwaith. R'odd e wedi colli gafel yn yr awenne, ac yn dal yn sownd wrth y mwng. Ond cyn i fod e'n bennu meddwl yn iawn, dyma'r poni bach â'i din dros 'i ben. Daeth 'na ebol bach. Cododd e ar 'i drâd. A'th y poni mewn yng nghynta, yr ebol bach yn ail, a'r boi i fewn yn drydydd. A dyna fe wedi ennill arian go lew am y dydd yntefe.

Eirwyn Jones (Pontshân): *Hyfryd Iawn*, 26.

Hyffordda blentyn . . .

Yn un o gabanau'r chwarelwyr ym Mhenmachno byddid yn trafod y bregeth bob bore Llun ac os digwyddai rywun regi yn ystod y cyfarfod hwnnw, câi ei hel oddi yno i fwyta ei ginio y tu allan. Un bore Llun yn y gaeaf, pasiodd chwarelwr y caban a gweld ei fab yn bwyta'i frechdanau yn yr oerfel.

'Be wyt ti'n da yn byta'n fan'na?' holodd y tad.

'Wedi cael fy hel allan,' meddai'r mab.

A dyma'r tad i mewn i'r caban ar ei wyllt.

'Be haru chi'r diawlad calon-galad yn hel yr hogyn 'cw allan . . . '

'Ara deg rŵan John.'

'Blydi byta'i fwyd allan a hitha'n gythreulig o oer . . . '

'Pwyll, John bach.'

'Y diawlad dideimlad. Be wnaeth o i darfu ar ych seiat uffarn chi bod rhaid iddo fo gael cic yn ei dîn o'ma?'

'Rhegi wnaeth o.'

Saib.

'Wel ddim adra ddysgodd o hynny,' meddai John gan sythu, troi ar ei sawdl a cherdded oddi yno.

Myrddin ap Dafydd (gol.): *Stori Wir!* 23-24.

Geiriau

Nid y gair addas ydi'r gair gora bob amsar mewn drama ysgafn, mae clywad y peth rong weithia'n goglas mwy. Dwi'n cofio bod mewn cnebrwn, ac yn ystod y munuda mud a phawb yn isda yn parlwr a'i ddwylo ar i lin dyma wraig y tŷ i mewn a dyma hi'n sibrwd yn uchal yng nghlust y gweinidog, 'Liciach chi Vimto, Mr Rogers?' Mi laciodd pawb ar ôl y Vimto, a mi gafodd yr hen Fari Dafis a ninna un o'r cnebryna difyrra berfformiwyd erioed ym Mhen Llŷn.

Am ryw reswm mae deud petha croes (er i rheini fod yn frwnt yn amal) yn goglas dyn mewn tristwch. Ryw ffarmwr yn fancw yn ymweld â chyfaill i mi oedd yn cwyno efo clwy melyn.

'Clwy Melyn ma'r Doctor yn ddeud sy arna i,' medda'r claf.

'Taw rhen,' medda'r ffarmwr yn wylofus iawn, 'hen salwch cas, mi gollis i ddynewad da efo fo llynadd.'

Mae amseru gwael yn medru bod yn ddigri weithia. Roedd acw Sgubor Lawen dipyn yn ôl i godi arian i'r Blaid. Peintio arwyddion oedd fy swydd i, nid mod i'n llythrennwr da, ond mi rydw i wrth modd yn gweithio ar f'isda. Dyna lle ron i ar ganol ymladd efo'r B yn SGUBOR pan ddaeth bachgan o'r pentra heibio a rhythu dros f'ysgwydd i am gryn ddeng munud heb ddeud na bw na be.

Pan ddois at yr O (a chael traffarth eto), medda'r dyn yn llawn cydymdeimlad, 'Fasa riwlyr ddim yn help i ti lad?' – ryw betha bach fela.

I fynd yn ôl eto at eiria fel geiria. Ella bod chi'n gwbod sut doth y dyn ne'r ddynas gynta i alw ci yn gi, a drws yn ddrws, a stelin yn stelin, a celwr yn gelwr. Mi glywis ddeud fod Mam yn Mam am fod ryw fabi bach wê bac yn oes yr arth a'r blaidd wedi poeri'r sŵn dros wefla glybion. Dwn i ddim.

I feddwl ffasiwn gongo ydan ni'n neud ynglŷn ag awduraeth petha, mi fydda i'n synnu na fasan ni'n gwbod bellach pwy oedd y cynta i lefaru pob gair.

Tybad nad hap a damwain sy'n cyfri am eiria – sy'n cyfri mai ci ydi ci coethi yn Gymraeg a goriad ne allwedd yn Saesneg? Mi allsa Wiliams Pantycelyn, mor hawdd â phoeri, fod wedi canu emyn 461 yn llyfr ni, a deud, 'Rwy'n edrych dros y palis pinc'. A mi fasa pawb yn derbyn palis pinc bai bod nhw wedi clywad 'bryniau pell'. Prun bynnag, petha i gael hwyl a sbort efo nhw ydi geiria i sgwennwr petha ysgafn. Mae geiria yn dwad heibio heb 'u disgwyl amball dro. Mae injis trên yn sgwrsiwrs garw. Yn oes stêm roedd gin y Cambrian injian danc 3217. 'Rho fys yn dîn' fydda honno'n ddeud, a mi deudodd o'n gyson bob bora am flwyddyn gron gyfa wrth bydru mynd i lawr y goriwaerad o'r Wern i'r Port a'i ddeud o'n fân ac yn fuan, 'rho fys yn dîn – rho fys yn dîn – rho fys yn dîn . . .'

Mae enw amball dŷ ne ffarm yn goglas dyn.
Trwyn Dwmi, dyna chi enw doniol. Mi welis i
gyfeiriad felma mewn papur newydd ar achlysur
ryw dê parti Bando Hôp, 'Cyflwynwyd y jaffas i'r
plant lleiaf gan Huw Robaits Trwyn Dwmi.' Mae
pawb yn ardal Trwyn Dwmi yn derbyn yr enw heb
wenu, praw reit bendant na ddyla neb drio yr un
jiôc ddwywaith.

Dwi meddwl bod amball i ddash o Saesnag yn
help i ddrama ysgafn. Tydw i ddim yn golygu y
misdar tir sy'n 'troi ti hen Robyt Jones o ffarm fi am
ti cau talu rents i fi': mae peth fela'n wrthun os nag
oes 'na ryw gymhelliad arbennig iawn o ddychan
na glyfrwch tu ôl iddo fo'n rwla, ond mae amball i
air Saesnag yn sdamp Cymreictod.

Mae amball i gyfieithiad llythrennol yn ddigri
weithia. Dwi'n cofio criw ohonon ni yn mynd i
Rasus Eilaman. Roedd un ohonon ni, John Tŷ Lôn
(Y Parch. J.R. Owen, Mericia erbyn hyn) yn ffansïo
cacan blât yn Lerpwl. A medda fo wrth ryw biodan
o Saesnas yn ben ôl i gyd tu ôl i gowntar gwydr, *'A
piece of the plate cake please.'*

Dro arall mi ddoth acw Sgotyn-Sais o ffariar i'r
ardal acw, a mi galwyd o at fuwch oedd yn
clafychu mewn beudy-allan. Ffwr nhw ar draws
cae, y gwas yn arwain a'r ffarmwr tu ôl i'r ffariar.
Toc dyma nhw at glwt o ddail poethion, a medda'r
hen was, *'Mind the hot leaves Mr McEwan.'* A dyma'r

ffarmwr yn rhuthro i gywiro fo. *'Don't listen on it, she means the nesls.'*

W.S. Jones: Y *Toblarôn*, 16-19.

Yr Angladd

(Detholiad)

*Yn angladd Joni Bach y Co-op mae'r Licyris Olsorts, sef
Wil Bach y Clwddgi, Dan Bach y Blagard, Percy my
Lady, Twm Tweis a Sam Corc, newydd osod y coffin yn
y man priodol yn yr amlosgfa, a mynd i eistedd. Y mae'r
Parchedig Simon Joseph (nid un o gyfeillion mawr yr
Olsorts) wedi gosod ei het Anthony Eden yn ymyl y
coffin a mynd i'w bulpud . . .*

Yn ystod y gwasaneth byr fe fu-ws ymddygiad y
bois yn ddi-fai, ond fe ddigwyddws rwpeth tsha'r
diwedd i roi'r tin hat ar y cwbwl. O'dd Simon
Joseph yn cretu taw'r amser gore i wasgu'r bwtwn
– hynny yw, y bwtwn sy'n dechre'r coffin ar ei
siwrne ola – o'dd yn ystod y weddi pan o'dd lliced
pawb ar gau. A fel'ny bu-ws 'i yn angladd Joni
Bach y Co-op. Ar ôl darllen, a chanu 'O Fryniau
Caersalem', fe offrymws y pregethwr weddi. O'dd
lliced pawb ar gau – ar wa'an i liced Dan Bach y
Blagard. A fe, Dan, o'dd y cynta i weld beth
ddigwyddws pan a'th y coffin i gyfeiriad y fflame.
Fel gwetes i gynne, o'dd Simon Joseph wedi doti'i
het ar bwys y coffin. Mewn gwirionedd o'dd yr het
ar un o'r rowlars sy'n symud y coffin, a phan
ddechruws y coffin symud, fe a'th het Simon
Joseph yr un ffordd. Fe welws Dan y peth yn

dicwdd, a dyma fe'n rhoi pwnad i Wil o'dd yn
sefyll nesag ato fe. Agorws Wil ei liced, gweld yr
het yn dilyn y coffin, a rhoi pwnad i Twm. Cyn i'r
het gyrra'dd y llenni a diflannu am byth, o'dd pob
un o'r Licyris Olsorts wedi gweld yr anffawd – a'i
enjoio i'r itha!

Fe gwplws y pregethwr ei weddi a'i wasaneth,
ac wedi c'oeddi'r fendith, fe dda'th o'r pwlput
bach a gweld bod ei Anthony Eden wedi mynd
gyta Joni Bach y Co-op i'r ffwrn. Ond fe gatws ei
urddas, ware teg iddo fe, a ddangosws e ddim byd
i neb. Jest mynd at y Morris Minor yn bennoeth
urddasol.

Y noson honno, o'dd y bois 'nôl yn y Lamb &
Flag. O'dd Twm a Percy yn ware sgitls, a'r tri arall
rownd y ford yn trafod digwyddiade'r dydd.

"Na'r tro cyntaf i fi weld angladd het, myn
yffarn i!'

'O'n i'n timlo 'mbach yn flin amdano fe, ma'
raid fi weud,' mynte Sam yn fwyn o ganol ei fwg.

'Paid â wilia mor 'urt! Maggie! Dere bobo beint
i ni, nei di? A'r usual iddo fe my Lady!'

O'dd Maggie Lamb yn gwpod yn nêt taw *bitter
lemon* o'dd *usual* Percy.

'A dere bobo wisgi 'ed!'

'Diwedd mawr Wil, be sy 'di citsho ynot ti?'

'*Chasers*, ontefe? A fi sy'n talu.'

'Jawl, ti 'di ca'l pwl o golled ne beth?'

'Rwpeth bach i ddathlu achlysur arbennig.

83

Symo i'n dymuno drwg i neb, ond o'dd hi'n bryd iddo fe'r Parch ga'l cic fach yn ei din! Fe a'i urddas!'

Da'th Maggie â'r ordor draw a rhoi'r gwydre ar y ford.

'Diolch iti, Maggie,' mynte Wil. 'Dod e ar 'yn slaten i, nei di? Hei, Twm, Percy, *come on! Toast*.'

Rannws Wil y drincs, a da'th Twm a Percy i ymuno yn y dathlu.

'Reit 'te. Ar 'ych tra'd.'

Cwnnws Wil ei beint, a na'th y lleill yr un peth. Wel, ar wa'an i Percy, wrth gwrs, o'dd yn cwnnu glased o bitter lemon. A mynte Wil gyta lot o dimlad,

'I goffadwrieth Joni Bach y Co-op.'

'I Joni Bach y Co-op,' mynte pawb.

Dotws Wil ei beint 'nôl ar y ford a chwnnu'r wisgi.

'I'r *chaser*! Yr het!'

'Yr het!' mynte nhw gyta'i giddyl, a'r wherthin yn llanw bar y Lamb.

Ond o'dd Wil ddim wedi cwpla 'to.

'Grindwch nawr 'te, bois. Mae e'r Parch wedi ca'l tipyn o ffwdan heddi, ond weten i bod ishe rwto 'mbach o halen idd'i friw e. A ma' 'da fi syniad.'

* * *

Fore tranno'th fe gwrddws y bois am hanner awr

84

'di wyth ar yr hewl o'dd yn arwen at y Mans. O'dd Jonathan, ŵyr Wil, wedi dod gyta'i da-cu cyn mynd i'r ysgol, ac o'dd e'n cario bocs sgwâr miwn papur brown wedi'i glymu â chortyn.

'Rhoswch chi man'yn am funed, bois, tra bo' Jonathan a fi yn mynd yn nes at y Mans.'

Ar ôl cered mla'n am gwpwl o lathidi, mynte Jonathan wrth ei da-cu,

'Pam 'se'chi'n posto fe 'te?'

'Grinda nawr, Jonathan bach. Sgwetws Twm Tweis,

"*Ours not to reason why;*
Ours just to do and die".'

'Be chi moyn fi neud, jest roi fe ar stepyn drws?'

'Ie, a cnoco'r drws.'

'A riteg!'

'Wel, na . . . sdim raid ti riteg. Cered yn weddol glou.'

'Am hanner coron.'

'A cwarter o licyris olsorts.'

'O.K.'

'Gwd boi! Off â ti nawr 'te.'

A'th Jonathan i gyfeiriad y Mans ac fe a'th Wil 'nôl at y gang.

O'n nhw'n sefyll ar y tro yn yr hewl, lle gallen nhw weld drws ffrynt tŷ'r gwynitog.

'Gobitho na chaiff e ddim o'i ddala, myn yffarn i!'

'Na, ma' Jonathan ni'n dyall ei bethe. Shgwl

85

pwy yw ei dda-cu fe!'

Erbyn hyn, o'dd Jonathan wedi cyrra'dd y Mans, wedi doti'r parsel ar y stepyn, ac o'dd e'n cnoco'r drws.

'Gwd boi,' mynte'i da-cu unweth 'to.

'Nawr cer fel yr yffarn!' mynte fe'r Blagard.

Ond cered na'th Jonathan – yn weddol glou, yn ôl cyfarwyddyd Wil.

Ymhen eiliad ne ddwy agorwyd y drws, a da'th Simon Joseph i'r golwg yn ei *dressing gown* porffor. Fe welws y parsel ar stepyn y drws, a'i gwnnu. Dyma fe'n mysgu'r cortyn, tynnu'r papur brown yn rhydd, acor y bocs sgwâr, a dishgwl i weld beth o'dd yndo fe. Dwrned o luwch, a phishyn o bapur, ac ar y papur – y geirie 'Er Cof am yr Het'! O'dd e ddim yn sylweddoli bod y gang yn ei wylied e, ac fe a'th â'r parsel at y bin sbwriel wrth y glwyd a twlu'r cwbwl i genol y rwbish. Fe droiws e 'nôl at y tŷ, a mynd yn urddasol yn ei dressing gown porffor drw'r drws a'u gau.

Lan ar y tro yn yr hewl, o'dd y bois yn ca'l lot o sbort.

'Wel, 'na fe,' mynte Wil. 'Llwch i'r llwch, a lliti i'r bwced lliti!'

A bant â nhw i gyfeiriad yr inclein i gynnal trafoteth ar bwnc 'urddas'.

Dafydd Rowlands: *Licyris Olsorts*, 28-31.

Trafferthion Dyn Bara

Mercher, 9

Mi faglodd y dyn bara ar draws Mot eto heddiw.
Dwn i'm be sy' ar ei ben o. Ond wedyn mae o'n
bymthag oed, yn fyddar fel pastwn, yn ddall bost
ac yn fusgrall. (Y ci, nid y dyn bara.) A ddaw o byth
i'r tŷ 'mond gorfadd ar garrag y drws trwy'r dydd
nes bydda i'n ei lusgo fo'n ôl i'w gwt bob nos.

Mae o'n gallu bod yn reit beryg a deud y gwir.
Baglu ar draws Mot ddaru niwad i benglinia Mam.
Ar ôl hynny y dechreuon nhw 'fynd yn ddrwg', be
bynnag ma' hynny'n ei feddwl, achos dydi o ddim
yn ei rhwystro hi rhag chwara bowls ddwywaith
yr wsnos.

Mot ddisymud, hen, i bob pwrpas ydi'n carrag
ddrws ni felly; 'mond biti na fasa pawb, gan
gynnwys y dyn bara, yn cofio hynny ac yn cofio
codi'i goesa. Ond y drwg ydi fod ganddo fo rhyw
hen arfar gwirion o fagio'n ôl wrth siarad. Nes i
weiddi: 'Gwatshiwch y ci!' ond roedd hi'n rhy
hwyr. Doedd o ddim tamad gwaeth diolch i'r
drefn. Ond mi boetshiodd y dyn bara ei gôt a
thaflud cynnwys ei fag pres fel bwyd ieir i bob man
dros y cowt; a finna'n gorfod agor dyrna'r plant i
gael y ceinioga yn ôl i'w fag o.

'Ho ho! 'Na ni, 'na ni. Pawb yn iawn. Dim
tamad gwaeth. Wela' i chi ddydd Gwenar Musus!
Hwyl rŵan!'

Ond soniais i ddim byd am y baw iâr oedd ar din ei drowsus o . . .

Margiad Roberts: *'Sna'm Dianc i'w Gael, Dyddiadur Gwraig Fferm*, 12-13.

Albert

(Detholiad)

Fel cymwynas, cytunodd y Parchedig Eilir Thomas fynd
ag Albert, cwrcath chwyddedig Miss Kit Davies,
Anglesea View i syrjeri'r milfeddyg, a'i arwain yno
drwy strydoedd y dref wrth benffrwyn . . .

Erbyn i Eilir a'r gath gyrraedd roedd y Syrjyri yn
rhwydd lawn o bobl a'u hanifeiliaid. Lle cyfyng
oedd ystafell aros Elis y Fet ar y gorau. Eisteddodd
wrth ymyl Churchill o fleiddgi mawr, llaes ei
weflau a dagrau lond ei lygaid. Yn ffodus, roedd
gan y ci hwnnw fwy o ddiddordeb, diolch fyth, yn
yr ast ddefaid oedd ym mhen arall yr ystafell nag
yn Albert. Dieithriaid iddo oedd y rhan fwyaf o'r
cwsmeriaid, a Saeson yn ôl eu sŵn, ar wahân i un
wraig ganol oed a eisteddai gyferbyn ag o ag
anferth o gaets bwji ar ei glin. 'Doedd Eilir ddim yn
siŵr o'i henw, Dora neu Doris o bosibl, ond
gwyddai am y pedigri. Fel un o deulu Glywsoch
Chi Hon? y byddai'r werin yn cyfeirio ati. Roeddan
nhw yn hen deulu o siopwyr yn y dref, yn gwerthu
pysgod, a hi a'i theulu yn enwog am chwedleua
wrth y cownter. Roedd hi, mae'n amlwg, yn 'nabod
Gweinidog Capel y Cei yn iawn.

"Fora braf, Mistyr Thomas,' cyfarchodd yn
uchel gan strejio'i gwddf i fedru gweld dros ben y

caets.

'Ydi, ma' hi'n fora braf iawn.'

'Cath chi ydi honna?'

'Nagi.'

'Be', wedi ca'l hyd iddi hi 'dach chi?'

'Miss Davies, Anglesea View piau hi.'

'O! Honno?' Roedd tôn y llais yn dweud cyfrolau am berthynas y ddwy wraig â'i gilydd.

Caed saib yn y sgwrs nes i Glywsoch Chi Hon gychwyn ar drywydd arall.

'Be' ma'r hogyn 'na s'gynnoch chi yn 'i 'neud rŵan?'

'Newydd ddechrau yn y coleg.'

'Mynd yn bregethwr?'

'Na, gwyddoniaeth ydi 'i faes o.'

'E'lla 'neud pethau gwaeth cofiwch.'

'Gwaeth na be'?'

'Mynd yn bregethwr.'

'O.'

'Cyflogau pregethwrs a ballu wedi gwella'n arw chadal fel bydda' hi. Fydda'r hen Richard Lewis, hwnnw fydda'n Weiniodg yng Nghapal y Cei pan o'n i yn blentyn, yn dŵad heibio i Nain ar nos Sadwrn rhag ofn bydda' 'na benwaig heb 'u gwerthu a ddim yn debyg o gadw dros y Sul. Fred ddim hannar da.'

Tybiodd Eilir ei bod hi'n cyfeirio at gwsmer neu berthynas a phenderfynodd ofyn cwestiwn digon cyffredinol, 'Yn Ysbyty Gwynedd mae o?'

'Fo sy' yn y caets yn fa'ma.'

'O! deudwch chi,' ac aeth yr ychydig Gymry oedd yno i biffian chwerthin.

''Oedd o â'i draed i fyny pan godis i'r bora 'ma, ond mae wedi criwtio peth rŵan.'

Bu saib arall yn y cwestiynu.

'Erbyn faint oeddach chi i fod yma?'

'Unarddeg, yn ôl Miss Davies.'

''Gewch fynd i mewn gyda hyn. Chwartar wedi 'dw i fod. Hogyn 'ta hogan ydi'r gath 'na s'gynnoch chi?'

'Y . . . y hogyn.'

'Hen sglyfaethod budr. Deudwch wrth Musus Thomas bod acw ddigon o fecryll ffres ar hyn o bryd.'

'Miss K. Davies!' taranodd y llais o'r stafell gyfweld.

'Chi 'di honno mae'n siŵr.'

'Ia debyg.'

'Ia?'

Roedd y Fet â'i ben i lawr a'i freichiau cryfion, noethion yn amgylchynu'r bwrdd i gyd, yn cofnodi pa feddyginiaeth a roddwyd i'r anifail blaenorol.

'Ia, Miss Davies?' ond yn dal yn ei gwman.

'Y gath 'ma sy'n sâl, wedi . . . '

Cododd y Fet ei ben yn unionsyth.

'Diawl! chi sy' 'ma? Finnau'n disgwyl rhwbath mewn sgert.'

Dyn dipyn yn amrwd oedd Elis y Fet, yn arthio ar bawb ac yn fyr ei dymer. Gwartheg a cheffylau ar y ffermydd oedd ei gariad cyntaf a 'doedd ganddo fawr o amynedd gydag anifeiliaid anwes y trefwyr, yn gathod a bwjis a llygod dof, ond y gwaith hwnnw, fodd bynnag, a roddai'r jam ar ei fara menyn.

"Gin i ofn y bydd yn rhaid i chi fynd yn ôl i'r stafall aros 'na, frawd, a disgwyl ych twrn fel pawb arall. Dynas Anglesea View ydi'r nesa' ar y list.'

'Ond y fi ydi honno,' eglurodd Eilir yn ffwndrus ond yr eiliad nesaf roedd o'n 'difaru iddo ddweud y fath beth.

'Finna'n meddwl bod oes y gwyrthiau wedi hen fynd heibio. Y . . . sudach chi Miss Davies?' a hanner gwenu ar y Gweinidog druan.

'Hi ofynnodd i mi ddŵad â'r gath 'ma yma.'

'Gwyn ych byd chi, frawd, efo amsar ar ych dwylo. Ma'r Ficar 'cw yn gweithio'i hun i fedd cynnar.' Cydiodd mewn cerdyn a beiro. 'Enw?'

'Eilir Thomas.'

'Wn i hynny siŵr gythril. Enw'r gath, frawd?'

'Albert . . . Davies,' ychwanegodd, o ran hwyl.

'*Cut the comics*, frawd, ma' gin i lond Syrjyri yn disgwyl amdana' i.'

'Rhyw?'

'Sut?'

'Pa ryw ydi'r gath 'ma? Gwrw 'ta banw?'

'O! Gwrw.'

92

'A'i hoed hi, frawd?'

'S'gin i ddim clem.'

Taflodd y Fet gip sydyn i gyfeiriad y gath a sgwennu 'deuddeg' ac yna ychwanegu marc cwestiwn at y ffigur.

'Natur yr afiechyd?'

''Di chwyddo mae hi, Mistyr Elis, nes bod hi'n methu â rhoi un droed heibio i'r llall.'

'Dim yn pasio digon o ddŵr, beryg,' dyna duadd cath wrw wrth fynd yn hŷn. Rŵan, codwch o i ben y bwrdd 'ma yn reit handi, i mi ga'l golwg arno fo.'

'Dim am bensiwn. Mae o'n chwythu fel clagwydd, dim ond i chi edrach arno fo.'

Cythrodd Elis y Fet yng ngwar Albert a'i sodro fo ar ben y bwrdd cyn i'r cwrcyn sylweddoli'i fod o wedi esgyn o'r ddaear. 'Mae o yn beth boliog gythril.'

'Ydi.'

Cydiodd y ffariar yng nghynffon Albert a chodi ei ben ôl o i'r golau.

'Lle ceuthoch chi'ch magu, frawd, 'dan bwcad?' a gollwng cynffon y gath.

'Y?'

'Cath fanw ydi hon, siŵr dduwch, ac ma' hi wedi chwyddo am bod hi'n disgwyl cathod bach.' Rhoddodd hergwd front i Albert dlawd nes ei fod o'n disgyn dros ymyl y bwrdd ac yn ôl i'r ddaear. Finnau'n meddwl ych bod chi wedi'ch magu ar

93

ffarm.'

Aeth y Gweinidog yn chwys drosto ond ceisiodd adfer peth ar ei hunan-barch drwy daflu'r bai ar un arall. 'Wel, Miss Davies ddeudodd wrtha' i ma' gwrw oedd hi.'

''Tasa honno'n lluchio 'i hun i'r Harbwr, fasa' chi yn g'neud? Ma' hi yn un o'r cwsmeriaid gorau s'gin i ond ŵyr hi mo'r gwahaniaeth rhwng teigar a thomcat. Ylwch, frawd, ewch â'r gath 'ma adra nerth ych carnau, ne' mi ddaw â chathod bach yn un llanast.'

'Diolch.'

'Mi bostia' i'r bil i Anglesea View. Ma' gin i fwndal iddi fel ag y mae hi.'

* * *

'Ylwch, mi'ch gollynga' i chi wrth giât y tŷ, Mistar Tomos, lle bod chi'n gorfod cerddad cam. Peth anniban iawn ydi cath yn disgwyl cathod bach, wyddoch chi ar y ddaear pryd landian nhw.'

''Dach chi'n fwy na charedig, Ifan Jones. 'Doedd gin i ddim calon i gerdded cath drwy'r dre am yr eilwaith yr un bora.'

'Wn i. Ma' hi'n oes anodd iawn i weinidog fel ag y mae hi, heb iddo fo fynd yn bric pwdin.'

Cododd ei law i gydnabod ei ddiolchgarwch fel roedd y Volvo yn llithro ymaith yn esmwyth. Ffarmwr o gefn gwlad wedi ymddeol i'r dref oedd

Ifan Jones a gŵr yn llifo drosodd o natur dda. Roedd o'n flaenor yng Nghapel y Cei ond yn fawr ei ofal dros braidd y Capel Sinc yn ogystal. Bu'n fwy na ffodus i'w gyfarfod o wrth borth y Syrjyri. Gwyddai na fyddai Ifan Jones, o bawb, yn mynd â'r stori gam ymhellach.

Clywodd Kit Davies sŵn y car a rhuthrodd allan dros y trothwy i gael anwesu'r gath a chofleidio'r Gweinidog, yn y drefn yna.

'*I never*, ma' Albert ac Yncl Capal **wedi** cyrraedd. Y *verdict*, Mistyr Thomas, *dear*?'

'Y newyddion da 'ta'r newyddion drwg gym'wch chi gynta'?'

'Y newyddion da.'

''Dach chi'n mynd i ga'l cathod bach.'

'*Pardon*?'

'A'r newyddion drwg. Fydd yn rhaid i chi alw'r Albert 'ma yn Fictoria o hyn allan.'

Harri Parri: *Cit-Cat a Gwin Riwbob*, 24-28.

Y moto-beic

(*Detholiad o* Moto-beic a Mochyn Bach)

*Bu Ianto Piwji yn adrodd wrth ei bartner, Wil Hwnco
Manco, am ei brofiad brawychus pan gafodd reid i'r
gwaith ar biliwn moto-beic Dai Mandrel Mawr . .*

Pan gyrhaeddws Wil y tŷ a gweud yr hanes wrth
Sara nath honno ddim cyffroi o gwbwl.

"Se fe'n well bo' ti'n ca'l moto-beic 'ed yn lle bo'
ti'n goffod hwpo'r hen racsyn beic 'na sda ti 'nôl ag
ymla'n bob dydd.'

'Ond Sara fach, paid â'i alw fe'n rhacsyn, ma'
fe'n neud 'i waith, on'd yw e?'

'O 'na fe, ti sy'n gwbod. Os wyt ti'n mynd i hala
gweddill dy fywyd yn lladd dy hunan yn hwpo'r
hen beth 'na bob bore a nos, rhyngto ti a dy gart. A
cofia un peth arall, wyt ti ddim yn mynd
ddwarnod yn ifancach.'

Y noson honno yn 'i wely fe fuws Wil yn
pendroni uwchben geirie'i wraig. O'dd e'n troi ac
yn tuchan ac yn tynnu'r dillad gwely bob siâp yn y
byd.

'Be sy'n bod arnot ti, os llinger arnot ti ne' beth?'

'Ffilu cysgu odw i.'

'O'n i'n meddwl taw yn dydd o't ti'n ffilu
cysgu.'

'Meddwl odw i.'

'Wel paid meddwl gormodd, ti'n gwbod beth sy'n digwydd i ddynion sy'n meddwl yn gwely.'

Tawelodd Wil am rai munude. Yna'n syden, 'Meddwl beth wedest ti ambythdu ga'l moto-beic.'

Fe godws Sara ar 'i hishte yn y gwely yn gwmws fel 'se hi'n paratoi i fynd lawr i neud dishgled o de i ddod dros y sioc. Fe godws Wil ynte lan ac ishte yn 'i hochor hi. Fe fuon nhw'n edrych ar 'i gilydd am rai eiliade a neb yn gweud dim.

Sara o'dd y cynta i siarad.

'Be sy'n bod 'no ti, ti off dy ben ne' beth?'

'Ti wedws ddylen i ga'l moto-beic.'

'Falle do fe, ond nid yr amser hyn o'r nos. Gorwedd 'nôl a cer i gysgu. Ti'n disghwl fwy fel 'se ti miwn Austin sefn na acha moto-beic ffordd ti'n ishte fan'na.'

A fe a'th Wil i gysgu gan freuddwydio amdano yn ca'l hanner awr ecstra yn y gwely bob bore a reido i'r gwaith heb orfod nido o gefen 'i feic na cher'ed gyment ag un cam.

Y nos Wener ganlynol mi o'dd Wil yn cnoco wrth ddrws Ianto a papur wythnosol Felin-y-Pandy a'r cylch o dan 'i gesel.

'Dere'n glou, disghwl, darllen hwn,' a fe stwffws y papur o dan drwyn Ianto.

'Beth yw e?'

'Darllen e i ti ga'l gweld w. 'Co fe, ma' Sara 'di farco fe.'

A fe ddarllenws Ianto, '*For sale, 1938 B.S.A.*

motor cycle in good condition. Apply M.J. Davies,
Felin-y-Pandy.'

'A pwy ddiawch yw hwnnw, gwed ti? Wy' i
ddim yn nabod un M.J. Davies rownd ffor' hyn.'

'Wrth gwrs bo' ti, Matthew Mecanic yw e,
ontefe?'

'Eh? Smo ti'n gweud 'tho i bo' ti'n meddwl
prynu motobeic ar ôl hwnnw, o's bosib!'

'Pam lai, ma' fe'n fecanic, on'd yw e?'

'Ody, mecanic gain a mwrthwl, myn yffarn i!'

'Wel gwed ti beth fynnot ti, ond wy'n mynd i
weld shwd beth yw e ta fel bod hi. A wy'n moyn i
ti ddod 'da fi os ti'n folon.'

A fe fodlonws Ianto fynd 'da fe i helpu 'da'r
bargeinio. Mi o'dd Matthew Mecanic yn gofyn
decpunt ar ucen, a Ianto'n siarso Wil i drio ga'l e
lawr i bump ar ucen. Ag o'dd hynny ddim yn fater
hawdd.

'Grindwch bois, wy' ddim yn gweud nag yw'r
beic yn werth mwy na pump ar ucen, ond dian i
ma'r seidcar werth pump, w, man lleia.'

Fe ddishgwlws Wil a Ianto ar 'i gilydd.

'Seidcar?' medde Wil o'r diwedd. 'Pwy seidcar
ti'n siarad ambythdu? Wela i ddim seidcar yn
unman.'

'Dere 'da fi,' mynte'r gwerthwr, a dilynodd y
prynwyr ef miwn i hen shed o'dd yn edrych yn
debycach i gwb ffowls na dim byd arall.

'Ma chi, ddim gwa'th na newydd,' medde

Matthew gan redeg 'i law dros ymyl y seidcar fel 'se fe'n anwylo ci bach. 'A ma' fe'n fargen am bumpunt.'

'Ody hon yn y fargen 'ed?' holodd Ianto, gan roi cic fach ysgawn i olwyn y seidcar. A gyda 'nny dyma 'na iâr yn codi o waelodion y seidcar a hedfan ma's trwy ddrws y shed, a mi o'dd hi'n clochdar yn gwmws fel 'se holl gadnoid yr ardal yn 'i chwrso hi.

Estynnodd Ianto ddou wy brown neis o'r cerbyd hynafol.

'Dwy bunt a whigen a dim dime'n rhagor,' medde Ianto gan dorri'r wye a'u llyncu nhw fel dyn yn llyncu *oysters*.

'Peder,' atebodd y perchen, ar ôl gweld colli'r ddou wy.

Ond o'dd dim golwg fod y prish yn apelio o gwbwl. Crafodd Wil 'i ên am rai eiliade.

'Tair 'te, a wy' ddim yn symud o fan'na.'

'Tair a whigen.'

'O 'na fe 'te, af fi ddim i gwmpo ma's 'da ti ar gownt whigen.' A fe setlwyd y fargen yn ddigon cyfeillgar.

Fuws Matthew ddim yn hir yn rhoi'r seidcar yn sownd wrth y moto-beic a fe ddechreuws y ddou 'u ffordd sha thre miwn steil. Wil ar gefen y beic a Ianto yn y seidcar.

Ymhen cwpwl o ddwarnode mi o'dd y seidcar yn edrych fel newydd. Wil wedi bod wrthi yn tynnu nyth yr iâr a polisho tu fiwn a tu fa's, ac erbyn dydd Sadwrn mi o'dd popeth yn barod i drio fe ar yr hewl. Fe wishgws Wil 'i siwt ore a rhoi cap lleder ar 'i ben ac am 'i gluste. O'dd e'n edrych fel peilot o'r rhyfel cynta. Fe a'th ma's i'r cefen i moyn y tacsi a dod â fe rownd i ffrynt y tŷ lle'r o'dd rhai cymdogion wedi crynhoi i ga'l bod yn dystion o'r fenter fawr. Gyda 'nny dyma Sara'n ymddangos yn nrws y ffrynt wedi gwishgo fel 'se hi'n mynd sha'r cwrdd. Fe dwlws Wil un bip arni. O'dd gyda hi hat ar 'i phen ac ymylon mawr llydan iddi.

'Well i ti fynd 'nôl sha'r tŷ.'

'Pam, be sy'n bod?'

'Alli di ddim dod acha moto-beic miwn hat 'run peth â hon'na. Mawredd, ti'n disghwl fel 'se dou blât cino ar dy ben di.'

Ond mi o'dd Sara'n benderfynol o ddangos 'i bod hi'n gallu swanco lawn cystel â'i chymdogion. A gwell os rhwbeth. Wedi'r cwbwl, nhw o'dd yr unig rai yn y stryd o'dd yn berchen moto-beic – a seidcar.

'Os nag yw'r hat yn dod, wy' i ddim yn dod.' A camodd Sara i'r seidcar ac eistedd yno a'i breichie wedi eu plethu a golwg benderfynol arni.

''Na fe 'te, ti sy'n gwbod. Paid gweld bai arno i 'na gyd.'

Fe startws y beic ar y gic gynta a bant â nhw. A fel 'se hi'n trio rhoi achos pellach i'r cymdogion fod yn eiddigeddus o'i statws newydd, fe godws Sara 'i llaw arnyn nhw, yn gwmws fel o'dd hi 'di gweld y cwîn yn neud yn y pictwrs.

"Se'n well i ti ddodi'r llaw 'na ar ben dy hat rhag ofan i'r gwynt gitsho yndi.'

'Dere, wy' ddim yn credu bydd lot o ddanjer i 'nna, ddim ar dy sbîd di.'

Fe ethon nhw lan trw Felin-y-Pandy a Sara'n dal i godi'i llaw ar ambell un o'dd hi'n nabod, a rhai nag o'dd hi ddim yn nabod 'ed. Ond erbyn iddyn nhw fynd ma's sha'r wlad mi o'dd hyder Wil yn codi ac o'dd e'n dechre twmlo'n fwy cartrefol gyda'r beic. A fel o'dd 'i hyder e'n codi mi o'dd 'i sbîd e'n codi 'run pryd.

'Cymer bwyll!' gwaeddodd Sara o'r seidcar. 'Beth yw'r hast 'ma sy arnot ti? Ma' trw'r dydd 'da ni, on'd yw e?'

A'r gwir wedodd hi, mi o'dd trw'r dydd 'da nhw. O'dd Wil yn cofio popeth o'dd Ianto wedi'i weud ynglŷn â shwd o'dd starto'r beic. Y trwbwl o'dd nago'dd e ddim yn cofio shwd o'dd 'i stopo fe.

Ryw dair milltir tu fa's i Felin-y-Pandy mi o'dd Sara'n gwbod am hen gaffi bach reit ar ochor yr hewl a mi o'dd hi wedi disghwl mla'n am ga'l stop fach i fwynhau dishgled o de a bynen. A pan o'n nhw o fewn rhyw hanner canllath i'r caffi, dyma orchymyn o'r seidcar.

'Wow!'

'Be sy'n bod?'

'Wy'n moyn i ti stopo mla'n manco.'

'Wow!' gorchmynnodd Wil wrth y beic.

Ond nath hwnnw ddim sylw yn y byd a fe hedfanodd hibo i'r caffi.

'Wow!' galwodd Sara eto. 'Wy'n moyn disghled o de.'

'Be sy arnot ti, fenyw? Gei di de ar ôl mynd sha thre.'

A fe benderfynws Wil taw sha thre dylen nhw fynd. Fe a'th rownd yr hewl dop a 'nôl lawr am Felin-y-Pandy a Hewl y Mynydd. Ond pan o'dd e'n agosáu at y tŷ o'dd dim golwg 'i fod e'n arafu a fe a'th hibo'r tŷ fel cath-o-dân a lawr am y sgwâr a ma's i'r wlad unweth 'to.

Pwy o'dd yn sefyll ar y sgwâr ond Roberts y bobi. Ond nath Wil ddim sylw bod e wedi'i weld e. Na Sara whaith – o'dd hi'n rhy fishi yn dala sownd idd'i hat. Cyn pen cwarter awr mi o'dd Wil yn dod rownd 'to, a Roberts yn dal i sefyll yn yr un man. A'r tro 'ma fe godws Sara 'i llaw achos o'dd 'da hi ddim gwaith dala'i hat. O'dd honno 'di whythu bant a mwy na thebyg 'i bod hi yn Abertawe erbyn hyn.

Beder o withe fuon nhw ma's yn y wlad a peder o withe welodd Roberts y bobi nhw'n mynd hibo iddo fe, nes yn diwedd fe rhedon nhw ma's o betrol. Da'th y beic i stop ryw filltir o'r pentre a dyna lle buon nhw'n cer'ed sha thre a hithe'n dechre nosi.

Fe welws Mrs Jones drws nesa nhw'n dod.

'O ie, cer'ed ife? A ble ma'r transport licen i wbod? Wedi torri lawr, sbo. 'Na fe, 'na sy witha o byrnu hen racs ontefe?'

O'dd Wil yn barod i neud rhyw esgus ond fe stopws Sara fe miwn pryd.

'Sha'r tŷ 'na, a clou 'ed cyn bod ti'n codi rhagor o gwiddyl arno i.'

A wedi ca'l y tŷ fe gyhoeddodd Sara taw 'na'r tro cynta a'r tro dwetha y bydde hi'n reido yn 'i hen seidcar e, a cyn belled â'i bod hi'n y cwestiwn alle fe waredu'r hen beth mor glou â galle fe.

A fuws 'na ddim llawer o Gymra'g rhwng Wil a Sara am ddwarnode. Pŵr dab â fe, alle fe neud dim byd yn iawn. Ond mi o'dd e'n trio'i ore, whare teg iddo fe.

Meirion Evans: *Straeon Ffas a Ffridd* ii, 80-86.